MALL

HET MANGOSEIZOEN

Amulya Malladi

Het Mango seizoen

the house of books

Oorspronkelijke titel
The Mango Season
Uitgave
Ballantine Books, New York
This translation published by arrangement with Ballantine Books, an imprint of
Random House Publishing Group, a division of Random House, Inc.
Copyright © 2003 by Amulya Malladi
'Een wegwijzer voor de lezer' copyright © 2004 by Amulya Malladi en
Random House, Inc.
Copyright voor het Nederlandse taalgebied © 2005 by The House of Books,
Vianen/Antwerpen

Vertaling
Ellis Post Uiterweer
Omslagontwerp
Marlies Visser
Omslagdia
Carlos Navajas/The Image Bank
Foto auteur
Soren Rasmussen
Opmaak binnenwerk
ZetSpiegel, Best

ISBN 90 443 1321 5
D/2005/8899/80
NUR 302

Voor Søren en Tobias,
voor alles wat ik ben en hoop te zijn

Woord van dank

Heel veel dank aan Søren omdat hij als eerste het boek heeft gelezen en altijd naar me wilde luisteren. Heel veel dank aan Tobias omdat hij slaapjes deed. Dank aan mijn schoonouders Ruth en Ejgil omdat ze ons wilden herbergen en mij een plekje gaven waar ik kon schrijven. Alle familieleden in Denemarken, dank voor jullie hartelijke welkom, jullie genegenheid en hartelijkheid.

Ik ben Allison Dickens oprecht dankbaar. Ze is een geweldig redacteur, want sinds dit boek van mijn harde schijf kwam, heeft ze het beter gemaakt, en ze heeft me ook nog geholpen toen ik het moeilijk had. Dank aan Nancy Miller omdat ze me is blijven steunen en altijd vertrouwen in me had. Ik zal Heather Smith eeuwig dankbaar zijn omdat ze geduldig bleef toen ik haar met paniekerige e-mails en telefoontjes bestookte.

Mijn bijzondere dank aan Jody Pryor uit Alaska. Een vriendin en collega, ze heeft de eerste opzet van dit boek in één ruk gelezen en wist me goede adviezen te geven, iets wat ik net nodig had. Ook aan Matt Bailer, Kelly Lynch, Milly Marmur, Susan Orbuch en Priya Raghupa-

thi omdat dit boek dankzij hun opmerkingen beter is geworden.

Ik heb gebruikgemaakt van Steven Deutsch' gevoel voor humor bij het schrijven van de openingszin; van Radhika Kasichainula's ijzersterke geheugen, ze wist nog precies waar alles in Hyderabad is; en van Shanthi Nambakkams gastvrijheid toen ik laatst in de Verenigde Staten was – dank, jullie allemaal!

Ten laatste dank aan Arjun Karavadi omdat hij eerlijke kritiek leverde. Een echte vriend die altijd voor me klaarstond, ondanks het grote tijdsverschil tussen Chicago en Denemarken.

Inhoud

Proloog – Geluk is een mango 11

Deel 1 – Rauwe mango's 17
  Ga af op je zintuigen 19
  De politiek van het geven en nemen 45
  Mango's en ego's fijnhakken 70

Deel 2 – Olie en kruiden 85
  Thatha en zijn vrolijke vrouwen 87
  Zwemmen in arachideolie en excuses 110

Deel 3 – In de snelkookpan 133
  Nanna's vriend, zoon van vriend 135
  Bekentenissen en leugens 153

Deel 4 – Zoet en pittig 173
  De overeenkomsten tussen vee en vrouwen 175
  Nummer 65 en de gevolgen van bekentenissen
  en leugens 190
  Mango's en tomaten gaan niet samen 204

Deel 5 – Kliekjes 229
  Bruidegoms en vriendjes 231
  Vader van de bruid 257

Epiloog – Hapklaar 277

Een wegwijzer voor de lezer 280

Proloog

Geluk is een mango

Pleeg geen zelfmoord als je zwanger wordt, luidde de raad van mijn moeder toen ik vijftien was en er over een van mijn klasgenootjes werd gefluisterd dat ze zich van het leven had beroofd omdat ze een kindje verwachtte.

Met de stellige raad dat ik geen zelfmoord moest plegen kwam nog een advies – of liever gezegd een bevel – dat ik pas met iemand naar bed moest gaan als ik getrouwd was, en dat ik moest trouwen met de man die zij had uitgekozen, niet ik.

Ook al groeide ik op in een gemeenschap waar uithuwelijken de norm was, toch vond ik het altijd barbaars om een meisje van misschien twintig jaar te laten trouwen met een man die ze nog minder goed kende dan de melkboer die de afgelopen tien jaar de melk die hij haar familie verkocht met water aanlengde.

Ik was aan uithuwelijken ontsnapt door naar de Verenigde Staten te gaan waar ik wilde afstuderen in Computertechnologie aan de Texas A&M, door een baantje in Silicon Valley te bemachtigen en door daarna met allemaal smoezen te komen om maar niet naar India te gaan.

Zeven jaar later wist ik geen smoesje meer.

'Waar verheug je je het meest op?' vroeg Nick toen we onderweg naar San Francisco International Airport in de file stonden op de carpoolbaan van de 101-South.

'GELUK,' zei ik zonder aarzelen.

Toen ik opgroeide bestond de zomer uit mango's. Rijpe, zoete mango's met sap dat recht in je keel en in je hals droop. De geur van rijpe mango deed mijn smaakpapillen nog steeds ontwaken, mijn herinneringen, en even was ik weer kind op een warme zomerdag in India.

Er was meer aan een mango te beleven dan alleen de smaak. Mijn broer Natarajan, die we allemaal Nate noemden omdat dat korter was, en ik vochten altijd om de plakkerige pit in het midden van de mango. Als Ma voor de lunch een mango in stukken wilde hakken, begon het gevecht om de pit al aan het ontbijt. Aan de plakkerige pit zuigen die je met beide handen vasthoudt, is een van de fijnste dingen die je met een mango kunt doen. Nate en ik noemden de mangopit GELUK.

GELUK was een concept. Een gevoel. Triomf over een broer. Ik was het GELUK helemaal vergeten totdat Nick deze nogal rake vraag stelde.

'Het is net als een Guinness op kantoor drinken als het belastingformulier is ingevuld,' zei ik, maar mijn uitleg leek de beginselen van GELUK niet te dekken.

Nick de accountant knikte begrijpend. 'Maar veel geluk zul je tijdens je verblijf daar niet ondervinden zodra je je familie hebt verteld over de knappe en nederige Amerikaan met wie je iets hebt.'

Toen ik naar de Verenigde Staten ging, zou ik in lachen zijn uitgebarsten als iemand me had verteld dat ik een

Amerikaanse vriend zou krijgen, met hem gaan samenwonen en me met hem verloven. Zeven jaar later had ik een ring met een schattig diamantje aan mijn ringvinger en droeg ik in mijn hart de zekerheid mee die alleen een goede relatie je kan geven.

Nick zette me bij de luchthaven af en vroeg nog eens of ik mijn papieren en paspoort wel bij me had. Zorgvuldige en zorgzame Nick!

'Nou, daar ga je dan,' zei hij met een brede lach. 'Bel me zodra je er bent.'

Eigenlijk had hij met me mee naar India willen gaan. 'Om je familie te leren kennen, om het land te zien,' zei hij. Ik keek hem aan of hij niet goed bij zijn hoofd was. Ik dacht dat hij een grapje maakte. Dat kon hij toch niet menen? Had ik hem niet vaak genoeg verteld dat mijn familie net zo conservatief was als de zijne modern, en dat hij zou worden gevierendeeld en ik levend verbrand als ik hem meenam naar het huis van mijn ouders, een buitenlander, mijn minnaar?

'Nou, daar ga ik dan,' zei ik tegen mijn zin. Ik leunde tegen hem aan, de riem van mijn zwartleren tas sneed in mijn schouder. 'Ik haal op Nates computer mijn e-mail wel op. Als ik niet kan bellen, schrijf ik je.'

Ik wilde niet weg. Ik moest.

Ik wilde niet weg. Ik moest.

Ik werd door twee werelden verscheurd.

Ik wilde niet weg omdat zodra ik aankwam, mijn familie zich op me zou storten als aasgieren op een vers karkas. Ze zouden om verklaringen vragen, om een reden, en ze zouden me tot een huwelijk met een 'aardige Indiase jongen' dwingen.

Ik moest omdat ik hun moest vertellen dat ik met een 'aardige Amerikaanse man' ging trouwen.

Alle Indiase ouders die hun kinderen naar het Westen laten gaan pinken tranen weg en delen de volgende bevelen uit:

Eet geen rundvlees. (De heilige koe is je moeder!)

Word niet al te bevriend met buitenlanders; ze zijn niet te vertrouwen. Kijk maar naar hoe de Engelsen ons hebben behandeld.

Kook voor jezelf; het is helemaal niet nodig om buiten de deur te eten, dat is maar geldverspilling.

Spaar.

Spaar.

Spaar.

TROUW NIET MET EEN BUITENLANDSE MAN/VROUW.

Ook al kwam het bevel om niet met een buitenlander te trouwen meestal als laatste, het was toch het belangrijkste. Met die andere zonden konden ouders wel leven; een buitenlandse schoonzoon of schoondochter was godslastering.

'Als ze je aan een aardige Indiase jongen proberen uit te huwelijken, denk dan maar dat aardige Indiase jongens niet bestaan en dat je verloofd bent met een aardige Amerikaanse man die dol op je is,' grapte Nick.

'Volgens hen ben je gewoon weer zo'n verdorven westerling en ben ik beter af met een aardige Indiase jongen,' reageerde ik.

'Je kunt hen ongetwijfeld wel van het tegendeel overtuigen,' zei Nick voordat hij me omhelsde. 'Het gaat vast goed. Je raast en tiert een beetje en dan... Wat kunnen ze nou helemaal doen? Je bent een volwassen vrouw.'

'Misschien stort het vliegtuig neer en hoef ik ze hele-maal niks te vertellen,' zei ik een beetje troosteloos, en hij gaf me lachend een kus.

Nick zwaaide toen ik achteromkeek nadat ik door de beveiliging was en de luchthaven op liep.

Ik zwaaide terug als de dappere meid die ik was en liep naar het vliegtuig dat me thuis zou brengen, naar India, mango's en hopelijk ook naar GELUK.

Deel 1

Rauwe mango's

Avakai (mango-pickles uit Zuid-India)

5 kopjes met stukjes zure mango (middelgroot)
1 kopje zwart mosterdpoeder
1 kopje rood chilipoeder
1 kopje zout
een snufje kurkumapoeder (koenjit)
1 theelepel fenegriekpoeder
3 kopjes arachideolie

Vermeng de stukjes mango met de droge ingrediënten. Voeg 3 kopjes arachideolie aan het mengsel toe. Laat de ingemaakte mango vier weken marineren. Opdienen met warme witte rijst en gesmolten *ghee* (geklaarde boter).

Ga af op je zintuigen

De geur van mango's was overweldigend – sommige vers, sommige oud, sommige rot. Met een forse lege mand van kokosvezel liep ik achter mijn moeder aan die bij elk kraampje op de gigantische mangobazaar bleef staan. Ze moesten een bepaalde smaak hebben; ze moesten zuur zijn en na rijping niet zoet worden. De mango's om in te maken moesten heel speciaal zijn. Je moest op je zintuigen afgaan wilde je de juiste soort kiezen. Je proefde een mango en dan moest je er maar op vertrouwen dat de andere mango's van dezelfde boom net zo smaakten.

'Nee, nee.' Mijn moeder schudde haar hoofd naar de man die in zijn smerige witte *dhoti* en *kurta* op de grond zat. Om zijn mond was zijn huid leerachtig en rond zijn ogen had hij diepe rimpels. Zijn gezicht vertelde veel over zijn leven, de ontberingen, de eindeloze dagen onder de onbarmhartige zon terwijl hij zijn koopwaar aan de man bracht, soms mango's, soms iets anders, wat er op dat moment maar rijp was. Hij kauwde op betelbladeren en met enige regelmaat spuwde hij in het gebied tussen zijn kraampje en het volgende.

'*Amma,*' zei de man beslist terwijl hij zijn gesprongen lippen bevochtigde met een tong die rood was geworden van de betelbladeren. 'Tien roepie per kilo, *enh,* dat is mijn laatste bod.'

Mijn moeder haalde haar schouders op. 'In Abids kan ik ze voor zeven roepie per kilo krijgen.'

De man lachte scheef. 'Dit is Monda Market, Amma. Hier zijn de prijzen het laagst. En deze allemaal, enh,' – hij bewoog zijn hand over de manden van kokosvezel waarin honderden mango's zaten – 'smaken allemaal hetzelfde.'

Dat was misschien een beetje overdreven, maar ik zei maar niets, ik wilde niet bij deze discussie betrokken raken. Zwijgend stond ik naast mijn moeder en wachtte geduldig totdat deze beproeving was afgelopen. Mijn teerroze *salwar kameez* was vuil en ik transpireerde alsof ik nog nooit de zomer in India had meegemaakt. Maar ik had twintig zomers in India doorstaan en nu, zeven jaar later, kostte het me moeite in mijn vaderland te acclimatiseren.

Ik veegde het vochtige haar van mijn bezwete voorhoofd en probeerde de pieken in mijn korte staartje weg te stoppen. Een paar jaar geleden had ik mijn haar afgeknipt en ik droeg het nu op schouderlengte. Mijn moeder was ontzet toen ik haar foto's stuurde en betreurde mijn lange zwarte haar dat tot mijn middel kwam.

'Je gaat naar Amerika en wilt eruitzien als die christenmeisjes. Wat is er mis met onze leefstijl? Ziet een meisje met geolied lang haar met bloemen erin er soms niet leuk uit? Toen je nog hier was, wilde je ook al die fijne *mallipulu* niet, de verse jasmijn die ik vlocht. Je wilde er altijd

uitzien als die... Kort haar en andere nonsens,' klaagde ze door de telefoon voordat ze de hoorn in de hand van mijn vader drukte.

Ik had in deze drukkende hitte liever een korte broek gedragen, maar daar wilde mijn moeder niet van horen. 'Een korte broek op Monda Market? Ben je soms exhibitionist geworden? Zo gedragen we ons hier niet.'

Sinds ik drie dagen geleden was aangekomen, had ik dat al talloze keren gehoord. 'Zo gedragen we ons hier niet.' Alsof ik niet wist hoe 'we' ons hier gedroegen. Ik wás 'we'.

Mijn moeder pakte een mango en vroeg de mangoverkoper om een stukje. Ze gaf het aan mij. 'Hier, proef dit eens,' zei ze. Vol afgrijzen keek ik naar het slijmerige stukje fruit dat ze me onder de neus duwde.

Was ze soms gek geworden? Verwachtte ze echt van me dat ik dat at?

'Hier,' zei ze nog eens, en ze duwde het naar mijn mond. Ik rook de sterke geur van de mango, van het sap. En de herinneringen die met die kenmerkende geur waren verbonden welden op als een langzaam beekje dat over glad gesleten stenen stroomt.

Ik herinnerde me dat ik mango's uit de boom van de buren jatte en dat ik erin hapte met het voldane gevoel dat ik de perfecte roof had volbracht. Ik herinnerde me dat ik 's nachts de keuken in sloop om de mango's te eten die *Ma* voor het een of ander apart had gezet. Ik herinnerde me dat ik met Nate rauwe mango's met zout en chilipoeder zat te eten, dat onze lippen in vuur en vlam stonden en we met onze tong smakten omdat ze zo zuur waren. Nu kon ik me niet voorstellen dat ik dat stukje wit en groen fruit

in mijn mond zou steken. Het ging niet om de smaak, het lag aan het gebrek aan hygiëne, en plotseling werd alles bewaarheid waarvoor iedereen me over India had gewaarschuwd.

Mijn Indiase vrienden die in India waren geweest nadat ze lang in de Verenigde Staten hadden gewoond, zeiden: 'Alles ziet er veel viezer uit dan vroeger.' Ik had nooit gedacht dat ik zo zou veramerikaniseren dat ik terugschrok voor een stukje mango dat in de mand van die man had gelegen, dat hij met zijn blote hand had aangeraakt...

Ik schudde mijn hoofd. De man krabde op zijn hoofd en gebruikte diezelfde hand om een voedselrestje tussen zijn vergeelde tanden uit te plukken terwijl hij wachtte op het oordeel dat over zijn mango's geveld zou worden.

Ma slaakte een moeizame zucht en stak het stukje mango in haar eigen mond. Aan haar blik kon ik zien dat het haar iets deed. Van alle mango's die ze deze ochtend al had geproefd, was deze perfect geschikt voor de inmaak. Maar dat hoefde de mangoverkoper niet te weten. Dit was Afdingen voor Gevorderden.

'Gaat wel,' zei ze zonder een spoor van geestdrift.

'Gaat wel, enh?' De man fronste en sloeg afkeurend met zijn hand op zijn dij. 'Amma, dit zijn de beste *pachadi* mango's van de hele Monda Market. En...' Hij zweeg even en lachte naar mij. 'U krijgt ze voor negen roepie per kilo, enh?'

Ma maakte een wegwuivend gebaar, en als door een vloedgolf werd ik overspoeld met herinneringen aan mijn moeder die op alles afdong. Het ergste was die keer toen we met vakantie waren in Kullu Manali in Himachal Pra-

desh. Dat was een geliefde vakantiebestemming in de Himalaya voordat Kasjmir een heet hangijzer tussen Pakistan en India werd. In een bazaar in Manali probeerde Ma een omslagdoek te kopen; het was niet zomaar een doek, deze was in de mode en veel gevraagd, een wollen doek met aan weerszijden verschillende kleuren. Deze was blauw en zwart en Ma dong af zoals ze nog nooit had afgedongen.

De koop ketste op één enkele roepie af. De verkoper zei vijftig en Ma zei negenenveertig. Zo gingen ze nog tien minuten door, toen liep Ma gewoon de winkel uit. Ik was toen dertien en vond het helemaal niet leuk dat we een half uur bezig waren geweest met afdingen op iets wat ze toch niet ging kopen. Ik wist niet dat de winkel uit lopen een tactiek was die bij het afdingen hoorde, dat je daarna door de winkelier werd teruggeroepen omdat hij dacht dat je het echt meende, van die ene roepie.

Terwijl ik aan mijn hand de winkel werd uit gesleurd, riep ik: 'Het is maar één roepie, Ma, waarom ben je zo'n *kanjoos?*'

Zodra dat woord eruit was, wist ik dat ik fout zat. Ma sloeg me midden op de markt recht in mijn gezicht en nam me toen huilend en brullend mee terug naar het hotel.

Ze vergaf het me nooit dat ik de hele markt liet weten dat ze over één enkele roepie onderhandelde, noch vergaf ze het me dat ze de modieuze blauw en zwarte doek misliep waar zoveel vraag naar was. De vakantie werd daarna een hel omdat Ma maar steeds bleef zeggen dat ze geen kanjoos was, geen vrek, en dat ze alleen maar geld wilde besparen voor later, voor Nate en mij. Toen ik haar hielp herinneren dat ze die doek voor zichzelf wilde kopen,

kreeg ik nog een klap. De rest van die vakantie pruilde ik en ook nog een paar weken nadat we weer thuis waren in Hyderabad.

Dankzij zulke gelukkige herinneringen ding ik nooit ofte nimmer af. Het was een hele opluchting dat dat in de Verenigde Staten niet hoefde; aan alle kruidenierswaren en kleren hing een prijskaartje met een vaste prijs. En zelfs toen ik een auto kocht, dong ik niet af. De aardige Volkswagendealer noemde de prijs, ik stemde ermee in en zette mijn handtekening op het stippellijntje, zelfs toen Nick volhield dat ik werd afgezet.

'Je had die auto voor zeker tweeduizend minder kunnen krijgen,' zei hij terwijl ik tekende.

'Ik vind het een fijne auto, ik ga er niet moeilijk over doen,' reageerde ik vastberaden. Geschokt sperde Nick de accountant zijn ogen wijd open.

En daarmee was het afgelopen. Nick zei dat als ik een nieuwe auto wilde, ik hem voortaan moest zeggen wat ik wilde en dat hij dan iets zou kopen. 'Het is één ding om in India afgezet te worden als je tomaten koopt, maar het is misdadig om niet te onderhandelen als je een auto koopt,' zei hij.

Maar onderhandelen hield in dat ik net zo was als mijn moeder, en ik wilde nooit maar dan ook nooit op mijn moeder lijken.

De mangoverkoper pakte nog twee mango's en legde die voor Ma neer. 'Probeer deze ook maar. U zult zien, ze zijn allemaal hetzelfde,' daagde hij haar gretig uit in een poging haar te overtuigen.

Ma sloeg geen acht op de mango's die hij had uitgekozen en pakte er eentje uit de bewuste mand. De man sneed

met zijn mes een stukje af. Ma proefde en in plaats van het stukje door te slikken, spuugde ze het uit.

'Acht roepie,' zei ze terwijl ze haar mond afveegde met de zoom van haar donkerblauwe katoenen sari.

'Acht en een half,' was zijn reactie.

'Acht,' hield ze vol. De man vertrok zijn gezicht, zo van: omdat je me onder druk zet, en moest zich als niet opgewassen tegen haar afdingtactiek verklaren.

'Goed,' zei hij met een zucht. Daarna keek hij me aan. 'Een sluwe zakenvrouw, enh? Op die manier verdien ik er niks aan.'

Ik trok een gezicht zo van: ik bemoei me er niet mee, en legde de mand die ik vasthield voor hem neer.

'Hoeveel kilo?' vroeg hij, en de adem stokte in mijn keel toen mijn moeder zei dat ze twintig kilo wilde.

Hoe moesten twee vrouwen met nauwelijks ontwikkelde spieren in vredesnaam twintig kilo mango dragen?

Daar kwam ik gauw genoeg achter.

Het was een ware marteling. Ma trok de punt van haar sari om haar middel en tilde de mand aan een kant op en ik aan de andere. We zagen er met die mand als Laurel en Hardy uit. Af en toe viel alles er bijna uit terwijl we over de smalle paadjes tussen de kraampjes van Monda Market paradeerden.

We kwamen bij de straat en zetten de mand op het stoffige trottoir neer. Mijn moeder keek me aan en schudde vol afkeer haar hoofd. 'We moeten naar huis en daar moet je iets anders aantrekken voordat we naar *Ammamma* gaan. Zo kun je niet met me mee, en trouwens, we moeten toch kleren voor morgen meenemen.'

We kwamen bij het huis van mijn grootmoeder samen

om de mango's in te maken. Dat was een jaarlijks ritueel en iedereen was blij dat ik op het juiste moment in India was. Ik had bittere spijt van mijn beslissing. Als ik zelf een maand had kunnen uitkiezen, was dat zeker niet de hete julimaand geweest. Ik was blij dat Nick hier niet was, hij was in deze hitte vast gesmolten.

Ik wiste mijn hals met een zakdoekje en stopte dat in mijn tasje. Waarschijnlijk stonk ik naar dode rat want zo voelde ik me. Ik voelde me slap en de zon scheen om acht uur 's morgens al zo fel alsof hij op het hoogste punt stond.

Ik was bang voor een hele dag bij mijn grootmoeder. Er was een immense kans op een ramp. Ik wist niet hoe ik alle landmijnen moest omzeilen die ongetwijfeld zoals altijd voor de familiebijeenkomst waren gelegd. Toen ik jong was, deed het er niet zoveel toe. Ik vond altijd wel een manier om het geruzie en lawaai buiten te sluiten. Maar nu was ik volwassen en werd er van mij verwacht dat ik meedeed met het ruziemaken en een steentje bijdroeg aan het lawaai. Ik was op allebei niet voorbereid. Bovendien moest ik mijn niet zo beste nieuws nog aan iedereen bekendmaken – er zouden alleen maar meer landmijnen komen.

Ik was hier nog maar drie dagen, maar nu al was ik moe van India, van thuis, en vooral van mijn moeder. Mijn vader en ik konden goed met elkaar opschieten, maar als hij partij moest kiezen tussen zijn kinderen en zijn vrouw, wist *Nanna* precies welke kant van zijn *idli* met ghee was besmeerd. Volgens hem had Ma altijd gelijk.

Toen Nate en ik nog klein waren en ruzie met Ma maakten, nam Nanna het altijd voor haar op. Hij bedien-

de zich van een heel simpele logica: 'Jullie gaan ooit het huis uit,' zei hij. 'Zij is alles wat ik heb en ik wil niet mijn hele verdere leven hoeven eten in zo'n goedkoop Udupi-restaurant. Zij heeft gelijk en jullie zitten fout – altijd. Einde gesprek.'

Het was niet overdreven mijn moeder een zeur te noemen. Ze was een superzeur. Ze kon iemand eindeloos onder druk zetten en dat met een ontstellende onschuld.

'Geen auto's,' had Ma luchtig geklaagd. Ze keek me aan of ík verantwoordelijk was voor het gebrek aan autoriksja's. 'Waarom probeer je er niet eentje aan te houden,' beval ze terwijl we in de brandende zon op de stoep stonden met tussen ons in een mand vol mango's die een beetje scheef hing.

Ik wuifde, maar had geen succes. Uiteindelijk stopte een geel-zwarte driewieler, zo dichtbij dat hij maar net mijn tenen niet raakte die uit mijn Kohlapuri-sandalen staken.

Met haar gebruikelijke zwier onderhandelde Ma met de bestuurder van de riksja over de ritprijs. Uiteindelijk werden ze het eens over een prijs van vijfentwintig roepie en reden we naar huis met de mand tussen ons in, en we zorgden ervoor dat er geen enkele kostbare vrucht uit rolde.

Het was een hobbelige weg en de autoriksja bewandelde mysterieuze wegen. Het drong tot me door dat ik in India niet kon autorijden. Binnen de vijf minuten zou ik dood zijn. Er waren geen regels; die waren er nooit geweest. Je kon overal rechtsomkeert maken, waar en wanneer je maar wilde. Het werd niet als een overtreding beschouwd om door het rode licht te rijden. Als een agent je zonder rijbewijs en autopapieren betrapte, was twintig tot vijftig roepie genoeg om het probleem op te lossen. Alles wat zeven jaar geleden zo normaal had geleken, leek nu abnormaal en chaotisch vergeleken met mijn leven in de Verenigde Staten.

Het briesje dat ontstond terwijl de riksja voortreed was plezierig, maar de hitte en de geur van de mango's werden ondraaglijk wanneer de riksja stopte voor het rode stoplicht of iets anders. Er was veel 'iets anders': loslopende koeien op een kruispunt, files, een paar Maruti-auto's die tegen elkaar aan in het midden van de straat stonden geparkeerd terwijl de bestuurders in een verhitte discussie waren verwikkeld over wiens schuld het ongeluk was.

'Als Ammamma ons net zulke mango's had gegeven als aan Lata, zaten we nu niet met dit probleem, toch?' zei mijn moeder terwijl de riksja over een fikse hobbel reed zodat we door elkaar werden geschud.

Sinds ik thuis was had ik niets dan deze klacht gehoord. Mijn grootmoeder had alleen aan mijn tante Lata mango's van het familiegoed gegeven. Dit jaar viel de oogst tegen en waren er niet genoeg mango's voor iedereen. Mijn moeder kookte nog van woede en waarschijnlijk zou ze de volgende vijftien jaar blijven zieden. Want ze was ook nog kwaad dat haar trouwsari minder had gekost dan de sari die haar ouders aan hun schoondochter Lata hadden gegeven toen die trouwde.

De strijd tussen Lata en Ma werd uitgevochten met spottende en bijtende opmerkingen. Mijn moeder hield haar hoofd fier rechtop omdat mijn vader directeur van een bedrijf in elektronica was en we luxueuzer leefden dan Lata. Mijn oom Jayant was ingenieur bij BHEL, Barath Heavy Electronics Limited, een publiek bedrijf waar iedereen een ambtenarensalaris kreeg. Lata en Jayant hadden een huisje met maar één slaapkamer en daar woonden ze met twee dochtertjes. Ma zei voortdurend dat het huis wel erg klein was voor zo veel mensen.

Mijn ouders hadden een groot huis laten bouwen. Ze hoopten dat wanneer mijn broer en ik eenmaal getrouwd waren, er ruimte genoeg voor ons was om bij hen te komen logeren. Maar nu ik op het punt stond met een Amerikaan in het huwelijk te treden, kon ik me voorstellen dat Ma en Nanna geen prijs op bezoekjes stelden, omdat ze dan de gerichte vragen van buren en andere familieleden konden vermijden: 'Hoe konden jullie dat toestaan?'

Natuurlijk rekende niemand erop dat Nate veel bij mijn ouders zou zijn wanneer hij eenmaal uit huis was. Zelfs toen ik nog thuis woonde, was hij daar niet vaak. Hij studeerde nu aan de technische hogeschool van Madras en woonde in een studentenhuis. In de zomer kwam hij thuis, maar meestal had hij afspraken met vrienden zodat hij nooit langer dan drie dagen achter elkaar thuis was.

'De vierde dag is het moeilijkst,' vertelde hij mij. 'De eerste drie dagen verwent ze me, de vierde dag wil ze me meenemen naar Ammamma en dan is Lata daar ook en Anand met zijn vrouw... En dan gaat het al heel snel van kwaad tot erger.'

Nate was drie dagen bij me gebleven, daarna was hij de dag voor het ritueel van het inmaken ontsnapt voor een trektocht met vrienden naar de grotten van Aruku.

'Maar dat had ik een halfjaar geleden al afgesproken,' loog hij toen Ma boos opvloog. 'Ik kan het nu niet meer afzeggen.'

Nate en ik konden goed met elkaar overweg. We hadden regelmatig via e-mail contact en we hadden telefoongesprekken als mijn moeder aan zijn kant buiten gehoorsafstand was. Tussen ons was geen sprake van rivaliteit. Nate was negen jaar jonger dan ik en we vonden dat hij te jong en ik te oud was om jaloers op elkaar te zijn. Door dat leeftijdsverschil hoefden we ook niet om de aandacht van mijn ouders te vechten. We waren familie en maakten ruzie over GELUK, andere etenswaar en filosofietjes, maar we erkenden dat we in dezelfde baarmoeder hadden gezeten en accepteerden elkaar met fouten en al.

Mijn vader was die ochtend met de auto naar zijn werk gegaan ook al zeurde mijn moeder daar nog zo over. Ze betreurde het zeer. 'Hij had toch een dagje vrij kunnen nemen?' zei ze toen de autoriksja halt hield voor het huis van mijn ouders. 'Nu moeten we naar het huis van Ammamma ook een autoriksja nemen.'

'Hij neemt morgen vrij,' zei ik terwijl ik haar hielp de grote mand met mango's op de veranda te zetten nadat ze de bestuurder van de autoriksja had betaald met de gratie van een kanjoos, een *makhi-choos,* een vrek, een vrek die de vlieg nog zou aflikken die in haar thee was gevallen.

'Trek iets anders aan, iets leuks,' beval ze toen ze zich op de bank liet neervallen.

De stroom was uitgevallen. Iedere dag van de zomer werd de elektriciteit zes uur lang afgesloten om stroom te sparen. De momenten waarop de stroom uitviel waren willekeurig, maar meestal op de warmste tijd van de dag. Vandaag leek een uitzondering, want in plaats van geen stroom tussen elf en een uur 's middags waren we al vanaf halfnegen 's morgens afgesloten.

Ik ging in de weelderig bewerkte, ongemakkelijke houten stoel tegenover mijn moeder zitten. Ze had haar voeten op de grote, opzichtige salontafel gelegd die in het midden van de zitkamer stond.

'Wat moet ik dan aan?' vroeg ik. Ik bleef hier twee weken en had me voorgenomen precies te doen wat mijn moeder wilde. Misschien dat dat hielp de klap te verzachten wanneer ik haar in het hart moest treffen.

'De gele salwar kameez.' De ogen van mijn moeder fonkelden. Waarschijnlijk dacht ze dat ik veranderd was. Als tiener vroeg ik haar nooit wat ik moest aantrekken wanneer we op familiebezoek gingen.

'Welke gele?' vroeg ik een beetje geërgerd omdat ik het gevoel had dat ik door het stof ging.

'Met het goudborduursel.' Ze pakte een krant op om zich koelte toe te wuiven.

Ik staarde haar aan. De gele met het goudborduursel was van zware zijde. Was ze soms gek geworden?

'Daar is het te warm voor, Ma,' wierp ik tegen. 'Waarom niet gewoon eentje van katoen?'

Ze gaf me tegen haar zin gelijk. Dit was haar kans om te pronken met haar dochter die uit Amerika was teruggekomen. Maar echt met me pronken kon ze niet. Ik was ongehuwd. Ik was zevenentwintig en binnenkort zou ze erachter komen dat ik in zonde leefde met de buitenlander met wie ik van plan was te trouwen. Het leven zou een stuk gemakkelijker zijn als ik verliefd was geworden op een aardige brahmaanse jongen die mijn ouders hadden uitgezocht zoals schoenen uit een catalogus.

Ik was niet van plan geweest op Nick verliefd te worden. We leerden elkaar bij een wederzijdse vriend thuis kennen. Sean was een collega en een vriend, zijn zuster was Nicks ex-vriendin en ze waren nu alleen nog 'goed bevriend'. Zodra Nick 'hallo' zei, wist ik dat het moeilijk zou worden. Ik had me nog nooit tot een Amerikaan aangetrokken gevoeld – nou ja, afgezien van Paul Newman, Sean Connery en Denzel Washington – maar nooit in het echte leven. Ik denk dat Indiase vrouwen erop getraind zijn uitsluitend Indiase mannen aantrekkelijk te vinden; misschien het gevolg van eeuwen van hersenspoeling.

Natuurlijk was ik gevleid dat Nick me ook leuk vond, maar ik verwachtte niet dat hij er werk van zou maken. En ik verwachte zelfs in mijn wildste dromen niet dat ik met hem zou uitgaan. Maar hij maakte werk van me en ik ging met hem uit.

Voordat ik het wist en voordat ik alle redenen kon bedenken waarom ik beter niet met hem kon uitgaan, zaten we al samen in een restaurant. En alsof dat nog niet erg genoeg was, gingen we met elkaar naar bed en al gauw woonden we samen. Daarna werd het echt een janboel, want we besloten te gaan trouwen. En nu zat ik in het huis van mijn ouders te zweten, bang om hun over Nick te vertellen.

Om het zweet van me af te spoelen, en de dikke laag stof die na mijn tocht naar Monda Market op mijn huid zat geplakt, nam ik snel een 'douche'. Ik dompelde de plastic beker in de aluminium emmer vol water dat lauw was van de zon die op de tank op het dak scheen. Mijn moeder had nog geen douches in de badkamers laten installeren. 'Dat spaart water,' zei ze.

Ik trok een gele salwar kameez van katoen aan om Ma tevreden te stellen en bekeek mezelf in de spiegel. Mijn

huid was donkerder geworden bijna zodra ik door de Indiase zon werd gekust en ik wist dat geen zonnefactor ter
wereld kon voorkomen dat mijn melanine mij dat super-
gebruinde uiterlijk gaf. Mijn haar werd ook slierterig. Dat
kwam van het extra chloor in het water. En mijn...

Ik vertrok mijn gezicht. Ik was bezig net zo over India
te klagen als alle Indiërs deden die net uit India terugkwa-
men. Ik had hier twintig jaar gewoond en zeven jaar later
vond ik het hier een verschrikking. Het schuldgevoel liet
een nare smaak in mijn mond na. Dit is mijn land, hield
ik mezelf voor, ik hou van mijn land.

⁓

To: Priya Rao <priya—rao@yyyy.com>
From: Nicholas Collins <nick—collins@xxxx.com>
Subject: goede reis?

Hoop dat je een goede reis hebt gehad. Het spijt me dat
ik je telefoontje heb gemist. Ik had een vergadering en
had mijn mobieltje uitstaan. En het spijt me ook dat je
moeder het je zo moeilijk maakt omdat je nog niet
getrouwd bent. Ik weet niet wat ik moet zeggen behalve
dat je absoluut niet single bent.

Ik mis je. Het is hier leeg zonder jou. Vannacht sliep ik aan
jouw kant van het bed. Misschien word ik sentimenteel op
mijn oude dag.

Bel me gauw weer, ik laat voortaan altijd mijn mobieltje
aanstaan, wat er ook gebeurt. Jim en Cindy hebben ons

uitgenodigd om op Mount Shasta te gaan kamperen. Lijkt
je dat wat? En er was een boodschap van Sudhir voor je
op het antwoordapparaat. Hij wilde je goede reis wensen.

Pas goed op jezelf, lieverd.
Nick.

⌒

To: Nicholas Collins <nick—collins@xxxx.com>
From: Priya Rao <priya—rao@yyyy.com>
Subject: re: goede reis?

Ik wilde maar dat ze wisten dat ik geen single ben – zonder dat ik het hun hoef te vertellen. In ieder geval, we
gaan naar Ammamma om mango in te maken en ik denk
dat ik het dan kan vertellen. Ik wou dat je hier was. Nee,
dat is niet waar, ik wou dat ik niet hier was.
Het is vreemd om weer in Hyderabad te zijn. Ik kijk naar
mijn moeder en denk aan al mijn tantes en mijn grootmoeder en dan vraag ik me af hoe ze het uithouden om
dag in dag uit thuis te zijn en alleen maar voor hun gezin
te leven. Sudhir zegt altijd dat Indiase vrouwen (en
volgens mij vooral zijn moeder) knettergek zijn omdat ze
alleen maar thuis zijn om de kinderen op te voeden. Ik
ben het er niet mee eens dat ze knettergek zijn, maar ik
moet zeggen dat het me een claustrofobisch bestaan lijkt.

Nou ja, ik ben nu hier. Op zoek naar goedkeuring. Een
soort signaal dat ze het goed vinden dat ik trouw. Ik wil
dat ze zeggen: 'Ja, natuurlijk mag je trouwen met de man

34

van wie je houdt.' En dat is natuurlijk belachelijk! Met wie anders moet ik trouwen dan met de man van wie ik hou?

In ieder geval komen ze niet met 'geschikte jongens' aanzetten. Nog niet... Ze hebben zelfs geen toespelingen gemaakt en dat maakt me erg achterdochtig. Door hier te komen ben ik gaan beseffen dat ik India heb gemist, mijn familie, zelfs Ma. En ik heb Nate gemist. Hij is volwassen geworden. Een echte man, het is heel vreemd hem zich ook zo te zien gedragen.

Ik mis je. Ik mis je heel erg.

En ja, zeg maar tegen Jim en Cindy dat we dolgraag willen kamperen. Ik denk dat wanneer ik terug ben, ik wel aan vakantie toe ben.

Ik zal proberen nog eens te bellen, maar dat is nogal lastig. In ieder geval kan ik wel mailen. Ma snapt niks van computers, dus kan ze niet in Nates computer snuffelen. Als ze dat deed, kreeg ze van hem de wind van voren.

Ik hou van je,
Priya

⸻

Ik ging naar beneden en trof mijn moeder slapend op de bank aan, ze snurkte stevig. Haar dunnende haar dat verschillende keren met bijtende kleurstoffen was behandeld, lag flets tegen de donkerrode bekleding van de bank.

Haar dikke buik ging op en neer en ik zag het vel op haar middenrif steeds naar boven komen wanneer ze uitademde. Ik heb nooit begrepen waarom Indiase vrouwen tegenwoordig nog sari's dragen nu er alternatieven zijn als de salwar kameez waar niemand aanstoot aan neemt. Een sari zat ongemakkelijk, en het middenrif – de plek waar de strijd tegen de pondjes wordt gevochten en verloren – werd onthuld als een zondig geheim.

Ik keek op mijn horloge en fronste. Ik moest me haasten van haar, maar was zelf in slaap gevallen.

'Ma,' riep ik. Ze bewoog, dus riep ik nog eens en deze keer deed ze haar ogen open. Die waren bloeddoorlopen en ze keek me in verwarring gebracht aan. Toen viel haar blik op de klok. Versuft ging ze zitten.

'Ga een auto aanhouden,' zei ze tegen me, toen stond ze geeuwend op en rekte zich uit. 'En geen *paisa* meer dan vijftien roepie. Zeg de *riksjawallah* maar dat als hij *kitch-kitch* uithaalt, hij met mij te maken krijgt.'

Ik zette mijn zonnebril op, pakte mijn tas en liep langs de huizen naar de hoofdstraat. Een buffel liep over de pas geasfalteerde straat en ik sloop er op mijn tenen langs. Ik was altijd al bang voor loslopende dieren op straat. De angst voor buffels zat er goed in, waarschijnlijk diep in mijn onderbewustzijn gegrift na een 'ingrijpende jeugdervaring' zoals psychiaters in films altijd over seriemoordenaars zeggen. Volgens mijn vader (mijn moeder vertelt een iets afwijkende versie van hetzelfde verhaal) gingen we toen ik zeven maanden oud was op familiebezoek in Kavali, een plaatsje in dezelfde deelstaat als Hyderabad. Mijn moeder legde me op een stromat op de veranda terwijl zij binnen iets ging doen. Plotseling stormde er een buffel door de straat, hij rende het hek door en de veranda op. Tegen de tijd dat mijn moeder begon te gillen en mijn vader naar buiten stormde, stond het enorme beest voor me, zijn scherpe hoorns op mij gericht. Uit zijn natte snuit droop kwijl vlak naast waar ik lag, me geheel onbewust van mijn gevaarlijke situatie.

'God weet waarom, maar de stier ging weg. We dachten echt dat hij je iets wilde aandoen,' zei mijn vader.

Mijn moeders versie van het verhaal kwam in grote lijnen overeen met die van mijn vader, alleen liet mijn vader me op de veranda liggen en niet zij. 'Ik liet mijn kinderen nooit zonder toezicht ergens achter. Maar je vader... Hij wil altijd van alles en laat zijn kinderen zonder erbij na te denken gewoon maar achter,' legde ze uit.

Ik kwam bij de hoofdweg en vond een autoriksja. De bestuurder rookte een *bidi,* hij luierde op de met vinyl beklede zitplaats van zijn driewieler terwijl uit het radiootje aan zijn voeten de nieuwste hit uit een Telugu-film klonk. 'Kom in mijn armen, kom, neem me en maak me de jouwe. Ik weet dat je weg moet, maar ik wacht op je, ik wacht op je terugkomst wanneer je me de jouwe maakt,' zong een vrouwenstem op een veelgebruikte melodie.

'*Himayatnagar,*' zei ik hard boven de muziek uit. De bestuurder knikte en zette de radio uit net toen de vrouw met het gebroken hart haar minnaar weer smeekte niet weg te gaan.

'*Chalis rupya,*' zei hij. Ik schudde mijn hoofd. Afdingen vond ik vervelend, maar zelfs ik wist dat veertig roepie belachelijk veel was.

'*Thees,*' reageerde ik. Ik stak drie vingers op, en hij gaf zich zonder tegenspraak gewonnen, wat bevestigde dat veertig roepie te veel was en zelfs dertig goed betaald, maar ik durfde niet verder te onderhandelen.

Ik haalde vijftien roepie uit mijn tasje en overhandigde die hem. 'Dit krijgt u nu, mijn moeder geeft u de andere vijftien,' zei ik. Verbaasd keek hij me aan. Ik stapte in de riksja en vroeg hem naar het huis van mijn ouders te rijden. 'En vertel mijn moeder niet dat het dertig roepie is, maar gewoon vijftien. *Accha?*'

De bestuurder knipoogde naar me. 'Rustig maar, Amma, *apun* kan goed geheimpjes bewaren,' zei hij terwijl hij zijn broek tot zijn knieën optrok en de motor startte. 'Broem-broem... naar uw kasteel, *hain?*'

Ik gaf de man aanwijzingen en hij reed grinnikend weg. Toen we bij het hek van het huis van mijn ouders kwamen, vroeg ik hem te wachten terwijl ik mijn moeder ging halen. De riksjawallah luisterde niet en nog voordat ik een voet op straat had gezet, toeterde hij drie keer, hard genoeg om de doden te doen ontwaken.

Gehaast kwam Ma uit het huis, ze reageerde op het getoeter. Ze droeg een sari van rode en gele katoen. Het duurde even voordat mijn ogen aan de felle kleuren gewend waren. Ik vond het een onplezierige gedachte dat ik aan India moest wennen – echt absurd. Ik was Indiër en toch leek alles maar vagelijk bekend. Ik kon me niet herinneren hoe ik me vroeger voelde wanneer mijn moeder een sari droeg waarin ze eruitzag als een Tequila Sunrise.

Zonder hulp van de bestuurder zetten we de twintig kilo mango in de autoriksja. Ma en ik persten ons met moeite op de zitting van bruin vinyl, onze benen bungelden naast de forse mand van kokosvezel. Ik zette de katoenen tas met schone kleren tussen ons in, samen met de tas met cadeautjes die ik voor iedereen had meegebracht, en maakte me klaar voor een hobbelige en ongemakkelijke rit.

'Als Ammamma je iets wil geven, neem je het gewoon aan, oké?' zei Ma. 'Maar als ze je iets heel duurs geeft zoals juwelen...' Even zweeg ze. 'Dan vraag je mij of je het mag aannemen.'

'En wat zeg jij dan?'

'Ik vraag je het aan te nemen,' antwoordde Ma geërgerd. 'Maar dat wil niet zeggen dat je het meteen mag aannemen. Er is niks mis met een beetje aarzeling.'

Familiepolitiek heeft me er altijd naar doen verlangen geen familie te hebben. Ik heb de fijne kneepjes nooit goed begrepen. Het was net een moeilijke, wiskundige opgave met talloze manieren om die op te lossen, maar je wist niet welke manier de juiste was omdat het antwoord van de opgave naar willekeur veranderde. Wanneer was het gepast om te aarzelen en wanneer moest je juist gretig doen? Zeven jaar geleden had ik nog geen flauw benul en nu ook niet.

'En als iemand het over een huwelijk heeft, zeg je maar dat ze zich tot mij moeten wenden,' ging ze verder met de les.

Míjn huwelijk, maar ze moeten zich tot haar wenden – typisch Ma. 'En wat zeg je dan?' vroeg ik geduldig.

'Als ze een geschikte jongen in Amerika weten die net als jij op het ogenblik in India is, valt er wel iets te regelen,' legde ze uit. 'Als dat goed uitpakt, kunnen jullie trouwen en gelukkig zijn. Dat zal een pak van mijn hart zijn. Een ongetrouwde dochter... Wat moeten de buren daar wel van denken?'

Ik keek mijn moeder kwaad aan. Ze hield het stalen handvat aan haar kant van de autoriksja stevig vast en haar naakte buik bobbelde door de *pallu* van haar sari wanneer de riksja over hobbels reed.

Mijn moeder weigerde afstand van haar misvatting te doen. Volgens haar was een vrouw pas gelukkig als ze was getrouwd. Ze had me nooit gevraagd of ik nú gelukkig was. Er was geen discussie mogelijk; hoe kon ik gelukkig zijn als ik niet getrouwd was?

Ik wilde opvliegen, ik wilde haar vertellen dat ik al gauw ging trouwen, maar ik wist dat dit niet het moment daarvoor was. Misschien tijdens het avondeten, hield ik mezelf zenuwachtig voor. Het avondeten was daarvoor een goed moment. Iedereen zou er zijn en we bleven bij mijn grootmoeder slapen. Met iedereen erbij voelde ik me veiliger.

'Als iemand zegt dat je te oud bent om nog ongehuwd te zijn...' Mijn moeder laste een theatrale pauze in. 'Dan heb je dat aan jezelf te danken.'

Als ik al had verwacht dat Ma medeleven zou betonen, was ik gek. En gek was ik zeker niet.

'Die aardige jongen in Chicago,' ging ze verder. 'Die was perfect. Maar jij wilde hem niet. Jij wilde niemand, jij hebt *nakhras.*'

Daar gingen we weer!

'Ma, die aardige jongen in Chicago had een vriendin, een Amerikaanse vriendin. Hij wilde niet trouwen en stemde er alleen maar in toe met meisjes te praten omdat zijn ouders hem dan met rust lieten.' Ik herhaalde wat ik haar drie jaar geleden al had verteld toen dit onderwerp ook ter sprake was gekomen.

Ma schudde haar hoofd. 'Alle jongens moeten hun wilde haren kwijtraken. Ik zeg niet dat het hem siert dat hij een christenmeisje had, maar hij had ja gezegd.'

'Ik wilde hem niet,' barstte ik los. 'Hij wóónde met haar. Ze hadden al drie jaar een verhouding! Ik wilde niet trouwen met een man die van een ander hield.'

'Liefde is kennelijk heel belangrijk,' schamperde mijn moeder. 'Hij verdiende tachtigduizend dollar per jaar. Weet je wel hoeveel dat in roepies is?'

'Ik verdien vijfentachtigduizend. Weet je hoeveel dat in roepies is?' luidde mijn wedervraag.

'Drie jaar geleden verdiende je dat nog niet,' reageerde ze fel. 'Waarschijnlijk verdient hij nu ook meer. Al dat geld...' Ze klakte met haar tong en gaf toen maar aanwijzingen aan de bestuurder.

Ik leunde naar achteren en sloot mijn ogen. Nog anderhalve week, nog maar elf dagen, dan was ik hier weg. Ik herhaalde het als een mantra.

Het huis van mijn grootmoeder was immer ons tweede thuis geweest, een plek waar mijn moeder niet altijd de overhand had en ons niet kon dwingen. Een thuis waar ik vaak verwend werd en waar Ma's regeltjes niet altijd van kracht waren. Vanaf mijn geboorte had ik in dit huis gespeeld en toen we het naderden, herkende ik meteen de geur van de straat en de omgeving. Het was een klap voor mijn reukzin dat ik na zeven jaar nog wist hoe het hier rook en hoe de lucht proefde.

Het huis stond op een groot stuk prima grond in het

centrum van de stad. Eromheen groeiden kokosbomen en er was een put die jarenlang was gebruikt om op de ouderwetse manier water te halen. Nu beschikte de put over een gemotoriseerde pomp die water uit de grond haalde en de tank op het dak vulde, maar er hingen nog bewijzen aan de put in de vorm van gerafeld kokostouw rond een roestige katrol.

Toen ik twaalf was, was het een soort overgangsrite naar de volwassenheid dat ik van mijn grootvader een emmer water mocht putten. Ma was bang dat ik de zware emmer niet naar boven kon krijgen, dat de emmer mij eerder in de put zou trekken. Ze wilde dat ik er hulp bij kreeg, maar *Thatha* hield zijn poot stijf en stond erop dat ik het zelf moest doen. De striemen stonden in mijn handen, maar nog dagen daarna was ik trots als een pauw.

In een hoek van het land stond een huisje met twee kamers voor de bedienden, en op de andere hoek stond het grote huurhuis van mijn grootouders. Ze hadden zelfs een verdieping op het huis laten zetten. Het was een modern driekamerappartement en mijn grootouders verhuurden dat ook. Zij woonden met mijn tante Sowmya beneden. Sowmya was drie jaar ouder dan ik en net als ik was ze ongehuwd, maar in tegenstelling tot mij had ze altijd graag getrouwd willen zijn.

Ma betaalde de bestuurder van de riksja. Die knipoogde naar me toen hij mijn moeder met uitgestreken gezicht vertelde dat de rit maar *pandrah* roepie kostte. We droegen de mand vol mango's naar het hek. Ma zette het hek open en schreeuwde om de bediende van mijn grootouders.

Rajni, de oude huismeid met wie ik was opgegroeid,

maakte net zo goed deel van mijn jeugd uit als het huis van mijn grootouders. Ze was weggegaan een jaar na mijn vertrek naar de Verenigde Staten, ze was naar haar eigen dorp gegaan om bij haar zoon te gaan wonen.

Rajni was geen brahmaan en mocht dus niet in de keuken komen, maar verder gaven mijn grootouders haar bijna overal toegang. Sowmya kookte en liet de borden buiten staan waar Rajni ze afwaste. Sowmya bracht de schone borden terug naar de keuken om ze netjes op hun plaats te zetten. Ik dacht altijd dat Rajni lui was omdat ze dat zelf niet deed.

Op een regenachtige dag legde mijn grootmoeder uit dat Rajni uit een lage kaste stamde en wij uit de hoogste. Ze mocht onze keukens niet in; in de goede ouwe tijd mochten mensen van een lagere kaste het huis zelfs niet betreden. Rajni was onaanraakbaar, letterlijk. Kennelijk was het nu beter geregeld, had Ammamma gezegd. 'Wij brahmanen zijn toleranter nu alles zo modern is geworden.' Ze klonk niet erg blij met al dat moderne.

Ik pakte onze tassen en hielp Badri de mand met mango's op zijn hoofd zetten. Mijn moeder schreed als een koningin het huis binnen terwijl Badri en ik haar als nederige hovelingen volgden.

Ik glimlachte toen ik op de met een hek omsloten veranda stapte waar een enorme houten schommel stond die een bereik over de hele veranda had – duidelijk gevaarlijk voor kinderen. Die schommel had altijd al op de veranda gestaan. Waarschijnlijk zou ik de veranda zonder de schommel niet eens herkennen.

Ik trok mijn sandalen uit en keek naar binnen. De woonkamer was verlaten, maar in het hart van het huis hoorde ik geluid dat met mijn herinneringen resoneerde alsof iemand tegen een stemvork had getikt.

Vanaf de voordeur kon je niet ver in het huis kijken. De kamers lagen buiten mijn gezichtsveld en ik zag Sowmya lachend uit de eetkamer naast de keuken komen.

Ze rende op me toe en we omhelsden elkaar.

De politiek van het geven en nemen

Mijn grootmoeder omhelsde me zo stevig dat ik bijna een rib brak. Ammamma dacht dat hoe steviger je iemand omhelsde, des te groter de liefde was. Ondanks het ongemak drong de subtiele geur van betelbladeren en kruidnagelen die om haar heen hing door tot mijn zintuigen, en ik baadde me erin. Dit was bekend terrein en op dat moment leek het niet zo erg om hier te zijn.

Ik wist dat ik hun vandaag of morgen – en dat bedoel ik letterlijk – over mijn plannen voor de toekomst moest vertellen, over de man in mijn leven die ze allemaal zouden afkeuren. Maar nu omhelsde Ammamma me zoals ze altijd deed en dat volstond.

Mijn tante omhelsde me plichtmatig. Lata en ik konden het niet goed samen vinden, voornamelijk vanwege de koude oorlog tussen Ma en haar. Ik had geen gevoelens voor haar, geen goede en geen slechte – ik dacht gewoon aan haar als aan mijn mooie tante voor wie ik weinig voelde. Ik herinner me dat zij en mijn oom Jayant trouwden toen ik veertien was en dat ik tegen mijn vriendinnen opschepte dat ik een heel mooie tante kreeg.

Ik had het niet verkeerd; Lata was bijzonder mooi. Ze was lang en liep als een 'bekoorlijk hert' – dat zei iedereen – en ze was licht van kleur. In tegenstelling tot mij was ze heel licht getint. Een lichte huidskleur is mooi, een donkere huidskleur is niet best. Ik had de donkere kleur van mijn vader, zei mijn moeder altijd en dan klakte ze afkeurend met haar tong. Nate had haar lichte teint. Volgens Ma lag het aan mijn slechte karma. Een jongen kon onafhankelijk van zijn uiterlijk een vrouw krijgen, als hij maar goed in zijn slappe was zat; maar voor een vrouw was het uiterlijk van groot belang. Mijn donkere huidskleur kon een probleem zijn tegen de tijd dat er voor mij naar een geschikte man werd gezocht, dacht Ma.

Nick moest erg lachen toen ik hem vertelde dat mijn moeder me discrimineerde omdat ik donker was. Hij zag de subtiele verschillen tussen de donkere Indiase huid niet, en dat maakte de hele situatie nog belachelijker voor hem.

'Alle Indiërs zijn donker,' zei Nick. 'Vergeleken met iemand uit Scandinavië... Zouden ze je moeder daar blank vinden?'

Maar mijn moeder had een lichte teint, ze was blanker dan de meesten, en iedereen (zijzelf ook) zei dat ze, toen ze jong was, mooi was geweest. Net een marmeren poppetje, vertelden ze Nate en mij. Dan keken ze naar mij en maakten meewarige geluidjes. Ze leefden erg met Ma mee: 'Jammer dat je dochter niet op jou lijkt.' Ik was opgegroeid in de schaduw van een moeder wier schoonheid was verlept, maar nog niet vergeten. Nu kon mijn moeder niet meer mooi worden genoemd. Haar gezicht was samen met de rest van haar lichaam bol geworden en ieder spoor van schoonheid was onder vet verdwenen.

Ma weet haar problemen met haar gewicht aan de pil. Dat was de oorzaak, zei ze beschuldigend, alsof bergen witte rijst met veel vet niet verantwoordelijk waren voor het vet dat zich in haar lichaam ophoopte. Ze gaf ook de schuld aan de dokter die haar bijna zevenentwintig jaar geleden de pil had voorgeschreven.

'Die kwakzalver gaf me die vreselijke pillen en kijk nou eens... Priya, als jij gaat trouwen moet je de pil niet slikken, krijg gewoon maar kinderen en... en vraag je man dan een vasectomie te laten doen,' raadde ze me aan.

In tegenstelling tot de meeste Indiase mannen trok Nanna er zich niets van aan dat Ma wilde dat hij een vasectomie liet doen; hij was geen chauvinist, maar de reden waarom Ma wilde dat hij dat liet doen, stak hem.

'Als ik doodga en hij hertrouwt, wil ik niet dat zijn nieuwe vrouw kinderen krijgt, zodat ik zeker weet dat met jullie alles in orde komt en jullie niet worden achtergesteld bij de kinderen van zijn tweede vrouw,' redeneerde ze.

Ma had een verwrongen geest, concludeerden Nate en ik, maar we waren het erover eens dat haar beweegredenen nobel waren. Ik weet zeker dat Nanna beledigd was toen hem werd verteld dat hij niet van zijn kinderen hield en dat wanneer Ma er niet meer was, hij ons net zo gemakkelijk zou verwaarlozen als hij een nieuwe vrouw zou kiezen. 'Radha, je hebt niet genoeg vertrouwen in het universum,' zei hij altijd tegen Ma wanneer ze weer zo pessimistisch tekeerging.

De familie na zeven jaar weer zien was als een stomp in je maag. Ik raakte erdoor uit evenwicht, lichamelijk zowel als geestelijk.

Naar huis komen was moeilijk, net zoals mijn ouders

onder ogen komen en nu de rest van mijn familie. Voor-al omdat ik wist dat ze om het zachtjes te zeggen niet erg blij zouden zijn wanneer ze achter het bestaan van Nick kwamen.

'Zeg hun maar dat ik een brahmaan uit Tennessee ben,' had Nick gekscherend gezegd toen ik hem vertelde dat mijn familie waarschijnlijk doodsriten voor me zou uit-voeren als we trouwden.

Soms stelde ik me voor dat ze Nick accepteerden. Waar-om niet? Hij was hoog opgeleid, van goede familie en hij verdiende uitstekend – mijn ouders zouden me aan zo ie-mand uithuwelijken, maar dan aan een Indiër en Telugu-brahmaan.

Mijn ouders dachten ook veel aan het huwelijk. Op mijn eerste avond in India vergastte mijn moeder me op een eenzijdige conversatie over mijn onvermogen de ernst van de onheilspellende situatie in te zien waarin ik mij be-vond door op mijn leeftijd nog single te zijn. Ondertussen keken mijn vader en mijn broer naar een cricketwedstrijd vanuit Engeland. India tegen Engeland, en India zou waarschijnlijk een pak rammel krijgen, want Sachin Ten-dulkar was net zonder een punt te scoren uitgeslagen.

'Gaat het van kwaad tot erger met haar?' vroeg ik Nate toen ik hem even alleen in de keuken trof. Hij schonk net water voor zichzelf in omdat het pauze was.

'Van kwaad tot erger,' bevestigde Nate terwijl hij me een meelevend schouderklopje gaf. 'Als je nou een vriend had...' Hij zweeg toen hij de uitdrukking op mijn gezicht zag en schudde zijn hoofd. 'Een Amerikaan?'

'Ja,' antwoordde ik somber. Het verbaasde me niet dat Nate erachter was gekomen.

'Dat is niet best,' reageerde hij opgewekt. 'Wanneer ga je het hun vertellen?'

'Ik dacht bij Ammamma, deze vrijdag wanneer we mango's gaan inmaken,' zei ik. 'Dan zijn ze allemaal bij elkaar en is het in één keer gebeurd.'

'Het spijt me niet dat ik er niet bij zal zijn,' zei hij op grimmige toon. 'Ze laten geen spaan van je heel. Er zal bloed vloeien.'

'Weet ik,' mompelde ik.

'Dat wil zeggen dat Thatha je zal vermoorden,' voegde Nick eraan toe.

'Weet ik.'

'Nou, succes dan maar. Het maakt het natuurlijk wel makkelijker voor mij.' Nick dronk achter elkaar zijn glas leeg. 'Ik heb een vriendin die uit Delhi komt, uit het noorden van India. Een heel stuk beter dan jouw Amerikaanse vriend.'

'Wat ben je toch lief, Nate,' zei ik vol walging en ik liep terug naar de woonkamer waar mijn moeder mijn leven en mij zat te veroordelen.

⌒

De woonkamer van Ammamma was ruim. Op feesten en bij andere gelegenheden konden er op zijn minst zestig man eten en dat was al vaak gebeurd.

De vloer was van steen, glad gesleten door de tijd. Wanneer Parvati die sopte, glom het prachtig en de vloer was ook heerlijk koel, een zegening gedurende de warme zomerdagen.

Thuis hadden Nick en ik houten vloeren en tapijt, ik

kon er nooit met blote voeten op lopen omdat het niet zo koud als steen was. Dat was een van de hebbelijkheden die ik naar de Verenigde Staten had meegenomen, net als het geen rundvlees eten, ook al hield ik mezelf vaak genoeg voor dat in Amerika de koe waarschijnlijk niet heilig was.

Ik ging op de grond naast de bergen mango's zitten. Sowmya kwam naast me zitten terwijl Ammamma het zich op een nieuwe bank gemakkelijk maakte. Het was een betere bank dan de oude, daarvan staken de veren door de bekleding en er moesten altijd dikke handdoeken op worden gelegd om te voorkomen dat iemands billen werden doorboord. Lata nam plaats op een stoel en onmiddellijk vroeg mijn moeder ook om een stoel. Sowmya ging er een uit de eetkamer halen.

Ik wist niet hoe ik het ijs moest breken met mensen die ik bijna mijn hele leven al kende. Mijn grootmoeder bracht redding. Ammamma kon iedereen onder tafel kletsen en dat deed ze dan ook vaak. Gewoonlijk stak ze een giftige tirade af over het een of ander. Deze keer was mijn jongste oom het slachtoffer omdat hij was 'weggelopen'. Tot ieders verrassing was Anand uit liefde getrouwd. Hij was verliefd geworden op een collega, Neelima. Neelima was Maharashtrian en ze moesten stiekem trouwen. Pas nadat de drie knopen van de *mangala soetra* waren gelegd, vertelden ze het.

Hun huwelijk was het afgelopen jaar het onderwerp van veel telefoontjes tussen mijn ouders, grootouders en mij geweest. De gesprekken eindigden er altijd mee dat iemand me waarschuwde voor een huwelijk uit liefde. Omdat Anand met zijn stiekeme bruiloft ieders hart had gebroken, besloot ik het mijn ouders te vertellen voordat ik daadwerkelijk trouwde, hoewel de verleiding groot was hen pas na afloop op de hoogte te brengen.

Mijn grootouders en de meeste andere familieleden hadden weinig hoop dat Anands huwelijk een succes zou zijn, en ze waren er allemaal van overtuigd dat Neelima niet de juiste vrouw voor hem was. Ze dachten ook dat Neelima eigenlijk een heks was en dat ze een akelig toverdrankje had gebrouwen om hun arme, onschuldige zoon in haar netten te verstrikken.

'Ze heeft een blanke huid, maar...' Ammamma haalde haar schouders op en knoopte de punt van haar sari voor haar dikke buik. 'Ze kan niet aan onze Lata tippen.'

Er was iets aan de hand, dat viel me op. Lata en Ammamma hadden nooit erg goed kunnen opschieten. Ammamma en Thatha hadden verwacht dat Jayant volgens de archaïsche traditie na zijn huwelijk bij hen zou blijven wonen.

Maar dat was niet het geval geweest.

Een halfjaar na de bruiloft pakte Lata zonder iets te zeggen haar spullen en die van Jayant in en verhuisde naar een flatwoning. De familie was diep geschokt. Thatha smeekte hen om terug te komen, maar Lata hield haar poot stijf. Ze zei dat ze er genoeg van had te wonen bij mensen die haar als kok en dienstmeid beschouwden. (Dat kun je haar moeilijk kwalijk nemen.) Ze zei ook dat ze een eigen thuis wilde waar zij de baas was. Jayant ging stilletjes met zijn vrouw mee en dat brak het hart van mijn grootouders. Maar nu was Ammamma aardig tegen haar verraderlijke schoondochter. Dat was meer dan genoeg om de Sherlock Holmes in mij te doen ontwaken.

'Luister maar niet naar hen, Priya, Neelima is heel aardig,' kwam Sowmya ertussen. 'En brahmaan,' voegde ze er nog aan toe.

'Maar niet van ons soort,' wierp Ammamma tegen. 'Ze is een Maharashtrian brahmaan, geen Telugu.'

En het was heel, heel belangrijk om Telugu te zijn. Telugu was de officiële taal van mijn deelstaat Andra Pradesh en wij werden Telugu genoemd. Het was voor een gezegend huwelijk niet genoeg om van dezelfde kaste te zijn. Om met iemand te trouwen moest je ook uit dezelfde deelstaat komen. Het lag heel eenvoudig: 'zij' stonden lager omdat 'zij' geen Telugu waren.

In ieder geval waren 'zij' Indiërs, dacht ik verdrietig. Die van mij was Amerikaan en ook nog een niet erg gelovig christen.

'Neelima is een goed mens,' merkte Sowmya op. 'Haar familie woont al generaties lang in Hyderabad. Ze spreekt vloeiend Telugu en kookt net zulke gerechten als wij.'

Voedsel was heel, heel belangrijk. Maar niet van zulk essentieel belang als de kaste.

'Maar ze had geen bruidsschat,' zei Lata rustig terwijl ze naar de berg mango's keek die moeder en ik vandaag op de Monda Market hadden gekocht. 'Waar moet jóuw bruidsschat nu vandaan gehaald worden?' tergde ze zacht. Ze hield haar ogen neergeslagen en legde plooien in haar sari. Ik zag dat Sowmya's vechtlust verdween.

'Ik haal de messen en de snijplanken wel even,' zei Sowmya snel, en ze verdween in de keuken.

Iedereen schoof niet op haar gemak heen en weer. Voor Sowmya waren bruidsschat en huwelijk tere onderwerpen. Ze was al drie jaar zevenentwintig en die 'drie jaar' maakten dat ze zich iets minder een oude vrijster voelde. Het maakte ook verschil voor de huwelijkskandidaten die Thatha voor haar wist op te duikelen. Per slot van rekening maakt een meisje van achter in de twintig meer kans op een goed huwelijk dan eentje van dertig.

Objectief beschouwd zou je Sowmya mollig kunnen noemen. Ze droeg een bril met dikke glazen en haar huid was donker – donkerder nog dan de mijne. Haar haar was krullerig en dun, ze was echt geen schoonheid. Maar wat niemand zag was dat Sowmya's hart zo groot was als de pan waarin ze op feestdagen *payasam* kookte.

Uithuwelijken is geen gok, zoals velen geloven. Het is een zakelijke benadering van het huwelijk en daar gaat veel aan vooraf. De ouders van de man zien graag dat hun schoondochter over bepaalde kwaliteiten beschikt, en de ouders van het meisje zien graag dat hun schoonzoon over bepaalde kwaliteiten beschikt. Wat de kinderen graag zien doet er niet toe. De ouders proberen iemand te vinden die aan hun voorwaarden voldoet en hopen er dan het beste van.

Vrouwen als Sowmya raken in een soort niemandsland verzeild. Ze hebben geen kwaliteiten waarnaar iemand op zoek is, en dat houdt in dat ze iemand moeten zien te vinden die zich in net zo'n positie bevindt, iemand die al door velen is afgewezen. Het is net als solliciteren. De baan die je krijgt is afhankelijk van je vaardigheden; wat je zelf wilt, is eigenlijk niet van belang.

Hoewel Sowmya was afgestudeerd in het Telugu, had ze nooit een baan gehad. Mijn verheven en bekrompen Thatha zei dat vrouwen van onze kaste niet horen te werken. Wat voor baan kon ze krijgen? Met haar opleiding hoogstens een baan als secretaresse. Dat was voor Thatha onaanvaardbaar. Dat was een carrière voor mensen van een lagere socio-economische klasse dan de zijne.

In de voedselketen van de Indiase academische wereld staan dokters en ingenieurs aan de top. Ma was blij dat ik voor het toelatingsexamen van de technische hogeschool was geslaagd. Want dat hield in dat ik ervan verzekerd kon zijn dat ik een goed huwelijk zou sluiten. Het hield ook in dat ik een baan kon krijgen waarvoor mijn ouders zich niet hoefden te schamen, een baan die paste bij een vrouw van mijn sociale klasse.

Maar Sowmya kon geen baan krijgen die bij haar sociale klasse paste omdat ze daarvoor niet academisch bevoegd was, net zoals ze de partner van wie ze droomde niet kon krijgen omdat ze daarvoor niet lichamelijk bevoegd was.

Het treurigste was wel dat Sowmya in haar lot berustte en niets deed om daar iets aan te veranderen. Waarschijnlijk droomde ze nergens meer van, niet van een man en een gezin. Ze was aanwezig bij vele plechtigheden waarbij de eventuele bruidegom en zijn familie bij mijn grootouders op bezoek kwamen om de eventuele bruid te keuren. Vroeger hield Sowmya het allemaal bij, maar nu, tien jaar nadat het drama in gang was gezet, had ze het opgegeven. Mijn moeder echter nog niet.

'Vierenzestig keer en nooit raak,' had ze me pas geleden verteld.

In het begin wilde Thatha niet afwijken van zijn doel een knappe arts of ingenieur voor Sowmya te strikken. Zelfs toen duidelijk werd dat de eventuele partners die hij vond niet erg toeschietelijk waren, ging hij stug door. Pas toen Sowmya vijfentwintig was drong het tot Thatha door dat hij te hoog had ingezet. Nu kwamen ook bankdirec-teuren en zo in aanmerking, maar weer liep het op niets uit omdat hij een jonge man voor Sowmya wilde, maar mannen van zevenentwintig zochten meisjes van eenen-twintig, niet eentje van vijfentwintig. Nu kwamen weten-schappelijk medewerkers en oudere mannen in aanmer-king. Terwijl Thatha naar een geschikte jongen zocht, onderging Sowmya hun bezoeken en afwijzingen.

'God weet wanneer zij gaat trouwen,' klaagde Ma ver-bitterd. 'Priya, een ongehuwde dochter is als een strop om je nek die elke dag een beetje meer wordt aangetrokken.'

Soms stelde ik me voor hoe het moest zijn om bij mijn ouders te wonen en er elke dag aan te worden herinnerd dat je tekortschoot. Ik zou binnen de kortste keren mijn polsen doorsnijden, het verbaasde me dat Sowmya dat nog niet had gedaan. Ze was nog precies hetzelfde meisje met wie ik was opgegroeid; ze was niet verbitterd en je zou het haar moeilijk kwalijk kunnen nemen als ze dat wel was.

'Misschien zou je zulke dingen niet moeten zeggen,' zei ik tegen Lata. Ik wilde mijn zachtmoedige tante tegen zulke akelige opmerkingen over bruidsschatten in be-scherming nemen. 'Het is niet eerlijk om dat tegen Sow-mya te gebruiken omdat zij Anands vrouw aardig vindt.'

Lata trok een wenkbrauw op. 'Je bent eh... een half uur hier en kiest nu al partij?'

Mijn moeder stak haar hand op om me het zwijgen op te leggen voordat ik iets kon terugzeggen. Het was duide-lijk dat zij met plezier dit varkentje weleens eventjes zou wassen. 'Lata, mijn dochter kiest geen partij. Ze probeert alleen andermans gevoelens te sparen.'

De enige manier om nadat ik mijn parels voor de zwijnen had gegooid de Derde Wereldoorlog te voorkomen, was van onderwerp te veranderen. Dus trok ik de tas met cadeautjes naar me toe – het werd tijd om voor sinterklaas te spelen.

'Ik heb voor iedereen iets meegenomen,' zei ik opgewekt voordat Lata mijn moeder kon vertellen wat zíj vond van mijn poging andermans gevoelens te sparen.

Sowmya bloosde toen ze de make-updoos zag die ik voor haar had meegebracht. Ze streelde de blusher en de oogschaduw met het cellofaan erover, ze pakte de lippenstift en keek welke kleur het was. Daarna draaide ze de dop terug en haalde haar schouders op. 'Wat moet ik hiermee, Priya?' vroeg ze, ik denk gewoon om niet te gretig te lijken.

'Opdoen,' stelde Lata luchtigjes voor, maar met een sarcastische ondertoon. Dat vond ik vreemd, want meestal zorgde Ammamma ervoor dat Sowmya zulke opmerkingen werden bespaard, maar er leek iets veranderd te zijn. Lata was de baas. Eerst de mango's en nu dit.

'Ammamma.' Ik legde een blauw en witte kasjmieren doek op haar schoot, en die raakte ze nieuwsgierig aan. Weer omhelsde ze me, nu niet meer zo stevig, en kuste me op mijn voorhoofd. 'Dat had je niet moeten doen. Je bent hier, dat is het belangrijkste.'

Dat was ik met haar eens, maar ik was op de hoogte van het ritueel. O ja, er bestond een ritueel: het ritueel van het thuiskomen. De regel luidde dat je niet kon thuiskomen zonder veel cadeautjes, ook als je je dat eigenlijk niet kon veroorloven.

De cadeautjes mochten ook niet zomaar worden uitgedeeld. Elk cadeautje wordt grondig geanalyseerd. Ik kon Ammamma bijvoorbeeld niet een goedkoper cadeautje geven dan het cadeau voor Neelima. Dat zou een belediging aan het adres van Ammamma zijn omdat zij ouder was dan Neelima. En ik kon niet iets voor Lata kopen wat duurder was dan wat ik voor mijn moeder kocht. Maar ik mocht ook niet iets goedkoops voor Lata aanschaffen, want dat zou beledigend zijn.

Met al die tegenstrijdige regeltjes was het erg moeilijk geweest iets voor Lata uit te zoeken.

'Gewoon iets vrouwelijks,' had Nick voorgesteld. 'Werkt prima bij mijn tante en zij heeft een godsgruwelijke hekel aan mijn moeder. Ik koop elk jaar parfum voor haar als kerstcadeau en daar is ze altijd blij mee.'

Ik legde uit dat het niet zo eenvoudig was. Ik kocht afgezien van andere dingetjes al een fles parfum voor mijn moeder. Ma had expres om parfum gevraagd en daarom kon ik dat niet ook voor Lata kopen. Ik moest haar iets geven wat ik niet ook aan mijn moeder gaf, maar het moest ook iets zijn wat mijn moeder niet zou willen hebben.

'Het klinkt niet echt als cadeautjes geven, eerder als een diplomatieke missie naar het Midden-Oosten. Ik snap er niets van,' gaf Nick toe. Ik was het roerend met hem eens.

Ik gaf een ingepakt doosje aan Lata. 'Voor jou.'

Ze keek naar de doos en nam die schouderophalend aan. 'Je had niets voor me hoeven mee te nemen,' zei ze. 'Mijn broer woont in Los Angeles, die kan me alles opsturen wat ik wil.'

Mijn moeder klemde haar kaken op elkaar en keek Lata kwaad aan. 'Als het je niet bevalt, neemt Priya het wel mee terug,' reageerde ze gladjes.

Ik keek Ma waarschuwend aan en plooide mijn gezicht toen in een aanminnige glimlach voor Lata. 'Ik heb niet zomaar iets voor je gekocht. Ik heb heel lang naar iets speciaals gezocht... Als je het niet openmaakt, voel ik me rot.'

Lata deed de doos open en ik zag haar ogen verrast en blij fonkelen. Ze haalde er een glanzende sjaal uit – een zijden sjaal geborduurd met motieven van de Navajo. 'Het is prachtig,' mompelde ze.

Ma leek het met haar eens te zijn en dat vond ze niet prettig. 'Net zo eentje als die je me vorig jaar hebt gestuurd,' zei ze knorrig.

Ik zei maar niets en pakte het volgende cadeautje.

'Ik heb ook iets voor Apoorva en Shalini,' zei ik tegen Lata. Ik gaf haar de twee ingepakte doosjes. 'Ik heb voor allebei hetzelfde gekocht – ik wil niet dat ze ruzie maken.'

'Wat is het?' vroeg Ma nieuwsgierig.

'O, gewoon dingetjes,' zei ik om de verrassing niet te bederven. 'Ik denk dat ze het wel leuk zullen vinden.'

'Dank je,' zei Lata stralend. 'Dat is erg lief van je, Priya.'

Ik was opgelucht. Het cadeautjes geven was probleemloos verlopen. Ik had ook cadeautjes voor mijn grootvader en mijn ooms, en ook eentje voor mijn nieuwe tante. Ik vermoedde dat de familie Neelima als oud badwater behandelde en ík wilde haar verwelkomen – dat zou Anand zeker op prijs stellen.

'Komt Neelima nog?' vroeg ik zo achteloos mogelijk. Onmiddellijk vloog Ammamma op.

'Hoezo? Heb je voor haar ook iets meegebracht?' vroeg ze op hoge toon.

'Ja,' zei ik vastberaden, zodat er geen discussie meer mogelijk was. Maar wie hield ik voor de gek? Niemand in de familie zou zich daardoor uit het veld laten slaan.

'Hoezo? Eigenlijk is ze geen familie,' reageerde Ammamma bars. 'Ze heeft me mijn kleine jongen ontstolen.'

Ja hoor, en de 'kleine' jongen was totaal onschuldig. Wat hypocriet... Anand was een volwassen man, ik kon me niet voorstellen dat een vrouw hem stiekem tot een huwelijk kon verleiden.

'Ze heeft hem niet gedwongen met haar te trouwen,' zei Ma. 'Hij trouwde haar met open ogen. Wat moet je doen als iemand je vertrouwen beschaamt?'

Die was raak!

Wat moet je doen als iemand je vertrouwen beschaamt...

Oei, dit zou hoogst onplezierig worden en ik vroeg me af of ik maar beter niets kon zeggen. Maar ik wist dat als ik niets zei, ik Nick niet onder ogen kon komen wanneer ik terug was. Hij was geen lelijk geheim dat je onder het tapijt kon vegen. Ik hield van hem, ik was trots op hem, ik wilde dat mijn ouders en mijn familie over hem wisten. Ik wilde vertellen hoe geweldig hij was, maar ik wist dat ze niet verder konden kijken dan zijn huidskleur en het feit dat hij een buitenlander was. Het maakte niet uit of hij de aardigste, rijkste en knapste man op aarde was – zijn nationaliteit en ras hadden hem gediskwalificeerd als geschikte huwelijkskandidaat voor mij.

'Neelima komt straks,' zei Sowmya. Ze keek naar de mango's die in bergjes op de koude, stenen vloer lagen.

'We moeten op haar wachten voordat we de mango's gaan snijden. Wil iemand ondertussen koffie?'

Iedereen knikte en Sowmya ging weer naar de keuken. Deze keer kwam ik achter haar aan en ging op het granieten aanrecht zitten terwijl zij bezig was.

'Heb je al leren koken?' vroeg ze.

Ik lachte schaapachtig. 'Een beetje,' zei ik. 'Maar niet Indiaas. Dat duurt te lang en het is te gekruid om elke dag te eten. Als ik er echt zin in heb, ga ik gewoon naar een restaurant; daar kunnen ze beter koken dan ik.'

'Je zou moeten leren koken,' reageerde Sowmya vermanend. 'Wat moet je als je getrouwd bent? Wil je je man soms eten voorzetten dat je hebt afgehaald?'

Afhaalmaaltijden tegenover zelfbereide maaltijden! In India was dat een gespeelde wedstrijd. De beste maaltijd was de maaltijd die je vrouw thuis voor je kookte. Geen restaurant kon daaraan tippen, en trouwens, waarom zou je geld in een restaurant uitgeven als je thuis eigengemaakte maaltijden kon eten?

'Ik leer het je wel,' stelde Sowmya voor.

Lachend schudde ik mijn hoofd.

Het was een amusant idee dat ik voor Nick zou leren koken. Er had een keer in een Amerikaans-Indiaas tijdschrift het profiel van een meisje gestaan dat diepe indruk op Nick had gemaakt.

Telugu Reddy-meisje, 23, mooi, afgestudeerd, zoekt knappe en financieel zelfstandige Telugu Reddy-jongen in de Verenigde Staten. Ze is 1.55 meter lang en huishoudelijk opgeleid. Geïnteresseerden graag reageren met foto.

Daarna klaagde Nick dat ik geen 'huishoudelijke opleiding' had. Dat was ons grapje, maar voor Sowmya was het onaanvaardbaar dat een vrouw niet kon koken.

'Ik zoek wel een man die kan koken,' zei ik, daarna veranderde ik van onderwerp omdat ik naar sommige dingen nieuwsgierig was. 'Hoe zit dat met Lata?'

'Let maar niet op Lata, ze... ze is gewoon...' Sowmya schonk melk in een steelpannetje en voegde daar een gelijke hoeveelheid water aan toe, vervolgens zette ze de pan op het vuur.

Ik pakte de koffieglazen in de roestvrijstalen houdertjes uit het kastje naast de gootsteen. De glazen waren dezelfde als vroeger. Glimmend, keurig gewassen en gedroogd door Parvati.

'Nee, we drinken tegenwoordig uit kopjes. Die glazen zijn alleen voor in de ochtend,' zei Sowmya.

Verbaasd zette ik de glazen terug. Bij Ammamma dronk iedereen altijd uit glazen. De hete koffie werd in de glazen geschonken en daarna werden die in de houdertjes gezet. Vervolgens werd de koffie in de schoteltjes geschonken om af te koelen, je dronk uit de schoteltjes. Dat was een interessant Indiaas ritueel dat ik bijna was vergeten. Kennelijk was er hier meer veranderd. Ze dronken nu uit kopjes.

Eigenlijk waren het theekopjes, met een gouden bies langs de randjes. Ik zette de kopjes op de schoteltjes en legde naast elk kopje een theelepeltje.

Sowmya leunde tegen de muur naast het Venkateshwara Swami-tempeltje in de keuken en keek me duidelijk opgelucht aan. 'Ik ben zo blij dat je er bent,' zei ze. 'Nu kunnen ze zich op jouw ongehuwde staat concentreren en laten ze mij met rust.'

'Dank je,' reageerde ik welgemoed. Ernstig voegde ik eraan toe: 'Maken ze je het erg moeilijk?'

'Vreselijk.' Sowmya zuchtte diep. 'Het ging beter, maar toen... Nu vraagt Nanna niet eens meer of ik de jongen wel mag, hij zegt dat het erom gaat of de jongen mij mag. De rest doet er niet toe.'

Mijn grootvader had de leeftijd van de kandidaten al verhoogd, ik wist dat hij bezorgd was dat Sowmya nooit zou trouwen. Wie moest er dan voor haar zorgen als hij er niet meer was?

'Je weet best dat hij het niet zo bedoelt. Hij zou nooit van je vragen om met iemand te trouwen die je niet mag,' probeerde ik.

'Weet ik,' zei Sowmya schouderophalend.

'Hoe reageerden ze op het huwelijk van Anand?' vroeg ik om van onderwerp te veranderen.

Sowmya sloeg haar ogen ten hemel. 'Het was een nachtmerrie. Ze gingen er maar over door, en toen hij voor de eerste keer met Neelima thuiskwam, vroeg Amma of ze wilde vertrekken. Drie dagen later gingen Amma en Nanna naar Anands flat en vroegen of ze terug wilden komen. Ze hebben zelfs voor de bruiloftsreceptie betaald, maar ik geloof niet dat ze het hen heeft vergeven dat ze haar die eerste keer de deur wezen.'

'Kun je haar ook moeilijk kwalijk nemen.'

Sowmya ging rechtop staan, haalde een fles koffie-essence uit het kastje naast het gasfornuis en draaide de dop van de fles. In elk kopje deed ze een theelepeltje essence. 'Maar ze komt terug; Neelima blijft maar komen. Ik denk dat Anand haar dwingt omdat hij wil dat ze goed met Amma en Nanna leert opschieten. Maar ik denk niet dat het beter zal gaan tenzij... tenzij ze misschien een kind krijgen.'

'Willen ze kinderen?' vroeg ik natuurlijk.

Anand en Neelima waren al een jaar getrouwd en volgens Indiase maatstaven had ze al zwanger moeten zijn. Ik kon er niet bij dat ze hier geen voorbehoedmiddelen gebruikten en kinderen planden. De meeste stelletjes kregen binnen een jaar na de bruiloft hun eerste kind, en dat hield in dat ze geen maatregelen namen. De meeste Indiërs zouden er niet over peinzen om met iemand naar bed te gaan zonder vijfdaagse bruiloft vooraf. Sommigen van mijn Indiase vriendinnen bleven bewust kinderloos, maar de druk van hun families was zo groot dat ze bijna werden gedwongen zonder voorbehoedmiddel te vrijen.

Sowmya hield de steelpan waarin de melk kookte met een tang vast. De melk schuimde en ik trok mijn neus op toen ik de bekende, lichtelijk aangebrande geur rook. Terwijl de melk sissend in de kopjes werd geschonken, klakte Sowmya bedroefd met haar tong. 'Neelima zegt dat ze hun best doen, maar dat ze nog niet zwanger is.'

'Het is nog pas een jaar,' zei ik. 'En jij mag haar graag.'

'Tegen mij is ze aardig,' reageerde Sowmya nonchalant. 'Ze is een beste meid. Ze helpt me als ze hier is. Amma kookt nooit en Nanna... Nou ja, hij houdt niet van koken. Waarom zou hij ook als ik hier toch ben?'

Mijn grootmoeder was een rare. Ze stamde uit een generatie waarin vrouwen als oud vuil werden behandeld en toch was het haar gelukt het grootste deel van haar leven uit de keuken te blijven. In het begin van haar huwelijksleven had haar schoonmoeder de maaltijden verzorgd, en toen zij stierf was mijn moeder oud genoeg om te koken.

En als mijn moeder daar even niet toe in staat was, zwaaide mijn grootvader de pollepel.

In de meeste brahmaanse families was en is het soms nog de gewoonte dat vrouwen de periode dat ze ongesteld zijn, moeten 'uitzitten'. 'Uitzitten' houdt letterlijk in dat ze worden verbannen naar het verste eind van het huis – in het huis van mijn grootouders de kamer naast de veranda – en niets en niemand mogen aanraken tijdens hun 'besmette' periode. Toen ik klein was, wilde ik altijd de vrouwen aanraken die het uitzaten. Ik wist niet wat 'uitzitten' betekende en probeerde altijd weg te sluipen om hen aan te raken. Op een keer zat mijn grootmoeder daar en kreeg ik een emmer putwater over me heen om me te reinigen. Daarna verging me de lust natuurlijk om vrouwen aan te raken die het uitzaten.

Wanneer de vrouwen het uitzitten, moeten de mannen koken, en zo leerde mijn grootvader (en de meeste brahmaanse mannen) hoe ze moeten koken.

Wanneer Sowmya ongesteld is, komt mijn moeder koken, of Lata. Want het is niet juist voor een man om in de keuken te zijn als hij volwassen dochters heeft.

Ik vroeg me af of Ammamma wel koken kon – dat moest wel, dacht ik. Haar ouders zouden erop hebben gestaan dat ze dat leerde. Ik vroeg me af waarom Ma mij nooit aanmoedigde het te leren. Ze probeerde me altijd uit de keuken te houden. 'Je maakt alles maar vies en dan moet ik het schoonmaken. Blijf uit de keuken, laat mij maar... Ik heb geen hulp nodig.'

Ik leerde een paar gerechten bereiden, maar ik kon echt geen hele maaltijd voor een heleboel mensen maken, zoals Sowmya en Ma.

Toen ik me bij Nanna beklaagde dat Ma me niet wilde

leren koken, zei hij dat ik carrière zou maken en dat ik niet hoefde te weten hoe je moest koken. 'Jij gaat heel veel geld verdienen, je kunt gewoon een kok in dienst nemen. Mijn prinsesje hoeft niet te hakken en te snijden.'

Ma beschouwde zindelijkheid als bijna net zo belangrijk als godvruchtigheid, ze liet echt niet iemand in haar keuken toe. Na een tijdje taande mijn enthousiasme en daarom heb ik nooit het belangrijkste geleerd wat een vrouw onder de knie moet hebben, de edele kookkunst.

Ik hoorde het metalen hek opengaan en draaide mijn hoofd om uit het keukenraam te kijken.

'Dat is zeker Neelima,' zei Sowmya. Ze zette de kopjes op een dienblad. 'Draag jij dit, dan zorg ik dat ze elkaar niet met de mangomessen afmaken.'

Neelima zag er precies zo uit als ik me een vrouw voor Anand had voorgesteld. Ze was klein, een meter vijftig, en heel mooi met kittig schouderlang haar dat om haar gezicht danste als ze praatte. Ze had een lieve lach en zag er in haar prachtige rode sari als een poppetje uit.

Ze was oprecht blij met mijn cadeautje. Ik had een foto van haar gezien waarin ze haar haar had opgestoken, daarom had ik ivoren kammen voor haar gekocht.

Lata boog zich over de kammen heen om ze eens goed te bekijken en ik hoorde het rekenmachientje in haar hoofd zoemen. Waarschijnlijk dacht ze dat de sjaal wel mooi was, maar misschien niet zo duur als de kammen... Of misschien toch wel? Mijn moeder werd door woede en trots verscheurd. Ze vond het vervelend dat ik zo veel geld had uitgegeven, maar ze was ook blij dat ik cadeautjes had uitgedeeld die er zo duur uitzagen. Dat ik dure cadeautjes had gegeven, was een garantie dat ik ook dure cadeaus zou krijgen als de gelegenheid zich voordeed (zoals op mijn bruiloft).

'Je bent laat,' was alles wat mijn grootmoeder tegen Neelima zei nadat we aan elkaar waren voorgesteld en de cadeautjes waren gegeven.

'Ik moest langs de dokter,' zei Neelima verlegen. 'Ik ben tien weken zwanger,' kondigde ze aan.

Sowmya en ik omhelsden haar en zeiden dat het geweldig was dat ze een kindje kreeg. Het was een pijnlijk contrast. Ammamma vroeg ons de mango's uit te spreiden, Ma keek alleen maar kwaad en Lata begon te praten over de eerste drie maanden van de zwangerschap en dat daarin de meeste miskramen plaatsvonden. Ik was ontzet. Wat waren dit voor mensen? En waarom gedroegen ze zich als vrouwen uit een slechte Telugu-film?

Ik zette een mandje mango's tussen Neelima en mij neer en ging in kleermakerszit zitten. 'Hier.' Ik gaf haar een fors mes en legde een snijplank voor haar neer, en voor mij ook eentje.

'Wacht,' zei mijn grootmoeder. 'De mango's moeten niet door elkaar raken.' Ze wees naar de mango's die tussen Neelima en mij lagen. 'Dat zijn de onze. Sowmya, doe jij die maar. Laten we onze eigen mango's snijden, dan komen de goede en de slechte niet door elkaar.'

Er lagen verschillende bergjes mango's op de grond. De mango's die Ma en ik die ochtend hadden gekocht, de mango's uit de familieboomgaard die Lata had gekregen, en Neelima's mango's die de vorige ochtend onder Ammamma's toeziend oog waren aangeschaft. Het was niet moeilijk te raden welke mango's Ammamma niet met de hare vermengd wilde zien.

'Wilt u soms zeggen dat mijn mango's niet goed zijn?' vroeg Ma meteen. Haar ogen fonkelden en ze omklemde haar mes. De Verschrikkelijke Inmaakvrouw stond klaar om het voor haar mango's op te nemen.

Ammamma boog, pakte een mango uit 'onze' mand en rook eraan. Meteen liet ze de vrucht vallen en trok haar neus op. 'Radha, je hebt nooit goed mango's kunnen uit-kiezen. Je had Lata met je mee moeten nemen.'

'Ik kies altijd prima mango's uit,' zei Ma, en ze pakte een mango uit de mand. 'Snij er een stukje af,' beval ze Neelima. Neelima legde de mango op de snijplank en hakte de mango in tweeën. Ze ging dwars door de pit. Daarna sneed ze er een plakje af en gaf dat aan Ma.

'Proef maar,' zei Ma tegen mijn grootmoeder.

Die wendde haar gezicht af. 'Ik hoef niet te proeven, aan de geur weet ik dat ze niet zo best zijn. Priya, je moet op je zintuigen afgaan... Als je mango's koopt, moet je vertrouwen op je reukzin. Ik zal het je wel leren. Als je het van je moeder leert, kom je met dit soort mango's thuis,' zei Ammamma. Vol afkeer keek ze naar de mango's die Ma had gekocht.

'Als u mij ook wat mango's had gegeven in plaats van ze allemaal aan Lata te geven, had ik misschien deze fout niet begaan,' merkte Ma zuur op.

'De oogst was niet zo best, er waren veel minder man-go's,' wierp Ammamma tegen. 'We hielden er zelf een paar en de rest hebben we aan Lata gegeven.'

'Waarom aan haar? Ik ben jullie vlees en bloed,' reageerde Ma verbitterd. 'Misschien kan ik maar beter met Priya naar huis gaan en–'

'Ma,' viel ik haar in de rede voordat ze te veel dreigementen op mijn grootmoeder kon afvuren. 'Ammamma, waarom proeft u niet een stukje, dan ziet u het zelf. Ik heb Ma geholpen met uitzoeken, moet u weten,' zei ik terwijl ik mijn liefste kleindochtergezicht trok.

Ik was het oudste en geliefdste kleinkind, en het feit dat ik hier nog maar anderhalve week zou zijn deed mijn grootmoeder op mijn verzoek ingaan.

Ammamma slikte het stukje mango door en smakte. 'Het gaat,' zei ze.

Mijn moeder trok een wenkbrauw op.

'Helemaal niet kwaad,' voegde mijn groetmoeder er tegen haar zin aan toe. 'Laten we die mango's nu maar eens gaan snijden,' beval ze.

⌣

To: Priya Rao <Priya—Rao@yyyy.com>
From: Nicholas Collins <Nick—Collins@xxxx.com>
Subject: Re: Re: Goede reis?

At 11:05 PM, Friday, Priya Rao wrote:

>In ieder geval komen ze niet met 'geschikte jongens' aanzetten. Nog niet...

Ik snap niet waarom je ze aldoor 'jongens' noemt terwijl het eigenlijk volwassen, huwbare mannen zijn. Ik vind het allemaal erg verwarrend.

Ik ben blij dat je ouders niet met geschikte mannen komen aanzetten. Ik moet toegeven dat ik altijd een beetje bang ben/was dat je familie je zal/zou weten over te halen met een aardige Indiase jongen te trouwen. Ik weet natuurlijk wel dat je terugkomt, maar ergens weet ik ook dat je familie je kan manipuleren.

Ik mis je. Deze reis lijkt veel langer te duren dan je zakenreisjes. Meestal ben je maar twee of drie dagen weg of hooguit een week, en dan blijf je in de VS. Dit voelt anders. Het lijkt of ik je niet kan bereiken.

Nick

Mango's en ego's fijnhakken

Het snijden van mango's voor de inmaak is een kunst die je pas na jaren van oefening onder de knie krijgt. Het moet worden geleerd onder toeziend oog van je moeder of schoonmoeder, tante of ander vrouwelijk, ouder familielid. In de goede oude tijd toen mensen nog in groter familieverband leefden en vrouwen niet buitenshuis werkten, werden echtgenotes en dochters getraind in het snijden van mango's, net zoals ze in alle huishoudelijke zaken werden getraind.

Het snijden van mango's is een nauwkeurig werkje, het moet methodisch gebeuren. Ik bakte er niets van.

Het mes waarmee de mango wordt gekliefd moet scherp en zwaar zijn zodat het lemmet gemakkelijk door de pit glijdt. Omdat het mes scherp en zwaar is, is het niet verstandig om de mango met je andere hand vast te houden – behalve voor experts – en met het mes te gaan hakken. Eén kleine misrekening en je verliest een paar vingers.

In deze wetenschap legde ik de mango op de snijplank. Op deze snijplank hadden vele generaties van mijn moeders familie mango's gesneden. Ik mikte. De mango vloog op en raakte me op mijn voorhoofd voordat hij in mijn schoot viel.

Mijn moeder maakte een afkeurend geluidje en keek naar de ietwat geplette mango die nu op mijn gele salwar kameez lag.

'Je moet de mango vasthouden, Priya,' zei mijn moeder. Ze deed nog eens voor hoe je een mango moest snijden. Geërgerd kneep ik mijn ogen tot spleetjes, maar dat merkte ze niet. Ze had het veel te druk mij samen met de mango's klein te krijgen.

De eerste klap met het mes spleet de mango in tweeën. Daarna haalde Ma met een lichter mes de pit eruit, maar het harde omhulsel liet ze zitten.

'Nu snij je hem weer,' zei ze en ze voegde de daad bij het woord. Vier stukken mango lagen voor haar, allemaal even groot. Ze bespotten me, en dat was ook Ma's bedoeling. 'Als het een kleine mango is,' zei ze terwijl ze een kleintje oppakte, 'is het voldoende om die te halveren.'

Lata lachte zacht en spottend, en ik mompelde iets over moderne meisjes. Ik liet mijn schouders hangen. Ik wilde niet in de verdediging worden gedrukt, maar ik zag deze vrouwen nog niet zo snel handig met een database omgaan. Goed, zij konden rottige mango's in stukken snijden. Nou en?

Omdat ik van nature competitief ben aangelegd en iedereen wilde bewijzen dat ik niet alleen goed kon programmeren maar ook prima mango's in stukken hakken, hief ik het mes nog een keer op. Deze keer kliefde ik de mango, niet in twee gelijke helften, maar in platgedrukte stukken. Nadat ik de vierde mango had verpest, vroeg mijn grootmoeder me naast haar te komen zitten en te kijken hoe zij het deed. Daar kon ik nog wat van opsteken. Ik wilde niet kijken en daar iets van opsteken, maar het bewijs van mijn onkunde lag op Ammamma's vloer. Het was rot om toe te geven dat je een stuk fruit niet de baas kon, maar ik deed het met gratie.

Met de geluiden van messen die op houten snijplanken neerkwamen en messen die over de harde behuizing van de pit schraapten, leek het hier wel een fabriekje waar mango's werden ingemaakt. Zij waren er goed in en hen ging het gemakkelijk af. Hun ogen waren op de groene, vlezige vruchten gericht en de messen in hun handen dropen van het sap terwijl ze hun mondje danig roerden.

'Wanneer komt die jongen voor Sowmya?' vroeg Lata luchtig.

Dat zou dan nummer 65 zijn, volgens mijn moeder die de score bijhield.

'Morgenavond,' antwoordde Ammamma. Ze opende het koperen doosje met betelbladeren.

Dat doosje had me als klein meisje al gefascineerd. Ik vind zoete *paan* lekker, maar mijn grootmoeder hield van bittere. Ze kon het uitstekend maken en ik keek weer kinderlijk geïnteresseerd terwijl ze een paan samenstelde. Ze opende een betelblad dat iets donkerder langs de rand was omdat het ongemakkelijk in het doosje geperst had gelegen. Daarna deed ze een doosje met een roze pasta open en smeerde daar met haar leerachtige vingers een beetje van op het betelblad.

'En hij is wetenschappelijk medewerker?' vroeg Lata spottend. Ik begreep niet waarom Lata zo vijandig tegen Sowmya deed. Goed, ze waren nooit dik bevriend geweest, maar meestal ging Lata toch niet zo tekeer. Wat ik vooral schokkend vond, was dat mijn grootmoeder niet meer voor Sowmya opkwam.

Hadden ze het opgegeven? Het huwelijk van Anand was een hele klap geweest, niet alleen omdat hij met een vrouw uit een andere deelstaat was getrouwd, maar omdat hij eerder dan zijn jongere zuster in het huwelijk was getreden. Hier bestonden ook duidelijke regels voor. De broer die in leeftijd het dichtst bij een zuster stond, moest wachten met trouwen totdat zijn zuster getrouwd was. Anders heeft de zuster nog maar weinig kans om een huwelijk te sluiten. Vroeger, toen de meisjes werden uitgehuwelijkt nog voordat ze de puberleeftijd hadden bereikt, was deze regel bedacht om te voorkomen dat de broers al het geld uitgaven dat voor de bruidsschat van hun zusters was bestemd.

'Hij is niet zomaar wetenschappelijk medewerker, maar aan het CBIT,' flapte Sowmya eruit. 'En hij heeft mijn foto al gezien,' voegde ze eraan toe.

'Die homeopaat anders ook,' sloeg Lata terug.

'Sst,' zei mijn moeder. 'Dat jij mooi en getrouwd bent, wil nog niet zeggen dat je zo tegen haar kunt praten. Als de tijd daarvoor is aangebroken, trouwt ze. God weet wat Hij doet.'

Ja hoor... Arme Sowmya, levend in een gemeenschap waar ze de deur niet uit kon en ook niet kon binnenblijven.

Een krakend geluid deed me mijn aandacht op mijn grootmoeder richten die met een koperen notenkraker betelnoten kraakte. Ze spreidde de noten op het betelblad uit, vouwde er een pakketje van en stopte dat in haar mond.

'Jij ook?' vroeg ze. Haar speeksel kleurde rood.

Ik knikte blij en sloeg geen acht op de blik van mijn moeder. Als kind zou ze me nooit toestaan paan te kauwen, maar nu was ik zevenentwintig en mocht ik betelnoten.

'Mijn zuster trouwde pas toen ze eenendertig was,' zei Neelima.

'In onze familie staan we niet toe dat meisjes achter mannen van een andere kaste aan gaan en met hen trouwen,' reageerde Ammamma terwijl ze luidruchtig op de paan kauwde. 'Hier.' Ze gaf me een paan, en die stopte ik in mijn mond in de hoop dat ik niets tegen die onrechtvaardige opmerkingen zou inbrengen.

'Mijn zuster is uitgehuwelijkt,' weerlegde Neelima. Ze liet haar mes op de houten snijplank vallen. Ik zag dat ze tranen in haar ogen had en weer dwong ik mezelf niets te zeggen. Ik was hier maar een paar dagen en ik wilde niet onnodig bij ruzies betrokken raken. Zodra ze van Nick hadden gehoord, zou Neelima's ster rijzen. Zij was tenminste Indiër en ik wist dat dat heel belangrijk was.

Een vriend die nu meer een kennis was, was ontzet geweest toen ik hem over Nick vertelde. Zijn eerste reactie was: 'Hoe kun je, Priya? Hij is niet eens Indiër!' Alsof hij daarmee op gelijke voet met een hond of kat stond.

'Als je zuster werd uitgehuwelijkt, waarom is dat bij jou dan niet gebeurd?' vroeg Lata aan Neelima. 'Jij bent overhaast met Anand getrouwd. Heb je stilgestaan bij wat dat voor Sowmya zou betekenen? Wie wil er nog met haar trouwen? De broer is getrouwd en de zuster is nog thuis.'

'Maar ze wacht al tien jaar op een huwelijk!' riep Neelima uit. 'Hoe lang kun je verwachten dat we bleven wachten? We hebben twee jaar gewacht, maar alles liep op niets uit. Daar kan ík niets aan doen.' Ze stond op en rende de veranda op.

Sowmya veegde met de zoom van haar sari het zweet en waarschijnlijk ook tranen van haar gezicht. Het werd met de minuut warmer in het vertrek en het hielp niet erg dat alle ramen en deuren openstonden. De krakerige ventilator die langzaam aan het plafond rondging, zette de lucht nauwelijks in beweging.

Nerveus stond ik op en ging op zoek naar mijn nieuwe tante. Ze zat op de treetjes die van de veranda naar de put liepen en had haar gezicht in haar handen verborgen.

Ik kwam naast haar zitten en legde aarzelend mijn hand op haar schouder. 'Gaat het?' vroeg ik terwijl ik de paan inslikte.

Met een ruk hief ze haar hoofd op. 'Ik haat ze!' bracht ze vol vuur uit. 'Anand is met me getrouwd. Híj vroeg me met hem te trouwen, híj zat achter mij aan. En nu geven ze mij de schuld dat Sowmya niet getrouwd is!'

'Dat is niemand schuld,' zei ik. 'Maar ik denk dat je daarnet Sowmya hebt gekwetst.'

Als iemand kon begrijpen wat Sowmya moest doorstaan, was het Neelima wel. Per slot van rekening raakte Sowmya van haar familie vervreemd omdat ze ongehuwd was, en ze kon nergens naartoe. Mijn hele leven heb ik iedereen haar horen afkammen. Eerst omdat ze te dik was en toen omdat haar haar uitviel. Dat maakte mijn grootouders bang dat ze kaal zou worden. Ze zorgde voor Ammamma en Thatha, ze deed hun huishouden, en zij behandelden haar of ze hen tot last was. Niks dankbaarheid. Ammamma en Thatha lieten haar zich overbodig voelen, ze konden niet wachten om haar aan een nietsvermoedende 'jongen' te slijten. Ik vroeg me af hoe het met hen moest als Sowmya eenmaal getrouwd was. Wie moest er dan koken en schoonmaken? Wie zorgde ervoor dat de meid kwam en haar werk goed deed?

'Het was niet mijn bedoeling Sowmya te kwetsen,' zei Neelima verontschuldigend. 'Maar ik ben zwanger en ze wensten me niet eens geluk. Waarom niet?'

'Als je een zoon krijgt, kussen ze de grond waarop je loopt – dan krijgen ze eindelijk een erfgenaam.' Ik zei het bij wijze van grapje, maar het was wel waar. Mijn grootvader was geobsedeerd, de bloedlijn van de Somayajula's moest worden voortgezet. Hij wilde een zoon van een zoon, en daarom kwam Nate, de enige kleinzoon, niet als erfgenaam in aanmerking.

Neelima barstte na mijn grapje weer in huilen uit. 'Ze zeiden tegen Anand dat onze zoon nooit erfgenaam kon zijn, vanwege mij. Ik ben niet de juiste vrouw om een erfgenaam te baren.' Ze zuchtte verdrietig. 'Daarom is Lata weer zwanger.'

'Wat?' Dit was echt belachelijk. Hoe kon Lata weer zwanger zijn?

'Ze hopen dat zij een zoon krijgt en dat hij het kleinkind is dat de familienaam mag voortzetten.'

Even wilde ik haar vertellen dat ze het mis had, dat Thatha niet echt zo chauvinistisch of ouderwets was, en toen herinnerde ik me dat hij dat wel was, dat hij prima in staat was zijn schoondochter van 'zuiver bloed' te vragen nog een kind te baren, een zoon. Al mijn hoop werd de grond in geboord; hij zou Nick nooit accepteren. Hij zou de gedachte aan Nick en mij niet accepteren. Wat moest ik doen?

'Dus ze is zwanger? Nu?' vroeg ik, want ik wilde het zeker weten.

Neelima knikte. 'Al bijna vier maanden. Binnenkort laat ze zich testen, ze willen weten wat het geslacht van de baby is. Heb je gezien hoe ze je grootouders behandelt? Ze laat haar kinderen niet eens op bezoek komen. Maar nu...' Ze haalde diep adem. 'Nu zijn ze dikke maatjes. En mijn baby heeft niet eens het recht om geboren te worden. Ze zegt dat ik een miskraam kan krijgen.'

Ik streelde troostend haar schouder. Het was een onmogelijke situatie. Wat voor verschil maakte het voor mijn grootvader van boven de zeventig of hij een kleinzoon had of niet?

Maar de Indiër in mij begreep hem wel. In de hemel werd je beoordeeld aan de hand van het bloed van je erfgenamen, en Thatha wilde daar niet tekortschieten. Op zijn leeftijd lag zijn leven niet voor hem maar achter hem, en het werd steeds belangrijker dat de naam van de Somayajula's voortleefde.

Ik hield veel van mijn grootvader, ook al was hij nog zo'n anachronisme. Thatha was een man uit een voorbije tijd. De witte, volle snor op zijn gerimpelde gezicht maakte dat hij er gedistingeerd uitzag, en zijn ogen waren zo helder of hij niet op de volgende dag kon wachten. In tegenstelling tot Ammamma stond Thatha altijd klaar met een grapje, een gevat antwoord. Hij was ondeugend. Hij was ook een manipulatieve schurk. Ik was oud genoeg om dat in te zien, maar dat veranderde niets aan mijn gevoelens voor hem. Ik had Thatha mensen zien bewerken om hen te laten doen wat hij wilde, en toch was ik zeer op hem gesteld.

Mijn vader mocht mijn grootvader helemaal niet. Het had Nanna moeite gekost een plekje in de familie van mijn moeder te veroveren, maar hij deed zijn best en dat siert hem. Mijn vader had geen grote familie en zijn ouders waren voortdurend op reis – mijn grootvader van vaders kant had een baan bij Buitenlandse Zaken – en Nanna's enige zuster was een ongehuwde arts en woonde in Australië. We zagen haar bijna nooit.

Thatha mocht mijn vader ook niet. Hij zei altijd (maar nooit waar Nanna bij was): 'Radha mocht hem graag en wij gaven toestemming, maar soms maakt een kind een vergissing.'

Misschien was het inderdaad een vergissing. Mijn vader en moeder pasten totaal niet bij elkaar en toch waren ze al achtentwintig jaar getrouwd. Waarschijnlijk waren ze nog wel 'gelukkig' ook. Maar geluk kan zo veel betekenen dat het woord soms aan betekenis inboet.

Toen mijn vader vijfentwintig werd, oefende zijn familie druk op hem uit om te trouwen, en vier jaar later gaf hij toe. De eerste vrouw die hij toestemde te ontmoeten was mijn moeder, en hij gaf meteen zijn fiat aan een huwelijk. Ik denk omdat hij niet nog meer van die ceremoniën wilde bijwonen waarbij je kennis met de eventuele bruid maakt. Mijn vader was waarschijnlijk niet voorbereid op de problemen die zouden ontstaan door het dicht bij de familie van mijn moeder wonen. Na een fikse ruzie ging Ma maar al te vaak terug naar haar ouders. Dan kwam Nanna ons halen en werden er dramatische toneelstukken opgevoerd. Thatha speelde daarin de schurk, althans in Nanna's ogen.

Tijdens die uitgesponnen ruzies deden Nate en ik of we

gewoon op bezoek in Ammamma's huis waren. We vertelden elkaar niet hoe we ons voelden, want allebei waren we stilletjes bang dat Ma ons niet meer thuis zou brengen en dat we Nanna nooit meer zouden zien.

Mijn ouders maakten ruzie, dat was altijd zo geweest. Maar er waren ook ruzies waarbij alles escaleerde en dan schreeuwde en tierde Ma en sleurde ze ons het huis uit. Of ze droeg Nate op de arm of ze trok hem met zich mee terwijl ze met haar andere hand mij stevig vasthield, want we mochten niet terug rennen naar die nare Nanna.

⁓

Piepend ging het hek open en ik hief mijn hoofd op. Thatha kwam thuis van de bouwplaats waar hij een nieuw huis liet neerzetten dat hij kon verhuren. Toen hij me vertelde dat hij nog een huis liet bouwen, had ik bij wijze van grapje gezegd dat hij een echte huisjesmelker werd. Maar voor Thatha was het huizen laten neerzetten op het land dat hij jaren geleden had gekocht een investering, een toekomst voor zijn erfgenamen die nog geboren moesten worden.

Hij stapte zijn stukje land op en spreidde zijn armen. Ik rende op hem toe en voelde me weer een klein meisje, de kleine Priya met haar grote, oude grootvader.

'Ik was er niet om je welkom te heten,' maakte hij zijn excuses. Hij liet zijn blik naar Neelima dwalen die was opgestaan. Ik weet zeker dat het hem niet ontging dat haar ogen betraand waren. 'Wat is er met haar?' vroeg hij met een knikje in Neelima's richting, die net het huis in rende.

'Iedereen doet rot tegen haar,' antwoordde ik. Ik rook de geur van tabak en cement die om hem heen hing. Thatha pruimde tabak, een slechte gewoonte voor ieder ander. Bij hem zag het er gedistingeerd uit; of misschien was ik vooringenomen.

'Dat denkt ze maar,' reageerde Thatha. Hij sloeg zijn arm om me heen en we liepen de veranda op. Hij maakte een grappig, kreunend geluidje toen hij de stemmen in het huis hoorde. 'Zijn ze er allemáál?'

'Mango *pachadi*,' legde ik lachend uit. Het was fijn de bejaarde man weer te zien, en het was ook fijn dat ik me na zeven jaar nog steeds bij hem op mijn gemak voelde.

Ondeugend keek hij om zich heen, toen knipoogde hij naar me. 'Aan de granaatappelboom hangen mooie rode vruchten. Kom,' fluisterde hij. Hand in hand slopen we weg.

Tussen het huis van mijn grootouders en het huis dat ze verhuurden stonden her en der verspreid granaatappel- en mangobomen. Als kind mocht ik niet onder de bomen lopen omdat ik iets te vaak misselijk was geworden na het eten van te veel onrijp granaatappelzaad.

Het was een ritueel. We kwamen op bezoek en Thatha nam me stiekem mee om van het verboden fruit te eten. Meestal werden we betrapt omdat ik altijd vlekken op mijn kleren kreeg. Mijn moeder haalde er nooit haar schouders over op. Ze blies het vreselijk op en Thatha bood zijn excuses aan. De volgende keer dat we op bezoek kwamen, nam hij me weer mee naar de granaatappelboom. We hadden een misdadig geheim. We waren dikke maatjes.

'Hier.' Met zijn zakmes schilde Thatha een granaatappel, brak die open en gaf mij een stuk. We gingen op de trap naar het appartement boven zitten en keken naar het verkeer dat langs het metalen hek raasde.

'En, hoe is het met mijn net uit Amerika teruggekeerde kleindochter?' vroeg hij gemoedelijk.

'Goed. Maar hier lijkt het niet zo goed te gaan,' antwoordde ik. Ik slurpte de sappige zaadjes op.

Hij slaakte een zucht. 'Anand...' Hij zweeg even om na te denken, toen ging hij verder. 'Anand heeft een vergissing begaan... Hoe zeggen ze dat bij jullie? Vergissen is menselijk?'

Ik schudde mijn hoofd. 'Hij is getrouwd met de vrouw van wie hij houdt. Dat is een zegen, geen vergissing.'

Thatha's ogen fonkelden. 'Liefde is niet zo geweldig als ze zeggen, Priya. Bij een huwelijk komt nog veel meer kijken.'

'Maar liefde is het belangrijkste,' wierp ik tegen.

'Later ga je van elkaar houden,' zei hij met een patriarchaal handgebaar. 'Nadat je bent getrouwd en kinderen hebt gekregen.'

Ik wilde daar graag op doorgaan, ook al wist ik dat het geen zin had. Hij was overtuigd van zijn gelijk en ik van het mijne. We leefden volgens een heel andere denkwijze. Bij hem stond plicht hoog in het vaandel, bij mij persoonlijk geluk.

'Stel dat je nooit van je vrouw gaat houden... of van je man?' vroeg ik.

Thatha gaf me nog een stukje met heldere, glanzende zaadjes. Ik nam het aan en trok de zaadjes los voordat ik ze in mijn mond stopte. Het was nog niet het seizoen voor granaatappels, maar deze was al rijp en heerlijk zoet.

'Je houdt altijd van je vrouw... of van je man, natuurlijk,' zei hij op die autoritaire toon die geen tegenspraak duldde.

Maar hij wist net zo goed als ik dat ik me in tegenstelling tot zijn kinderen en andere kleinkinderen door die toon niet uit het veld liet slaan. Zo was het vanaf het begin geweest. Ik had het vaakst ruzie met Thatha, ik kibbelde het meest met hem. We bespraken vele onderwerpen en verdedigden ons standpunt fel. Zelfs wanneer ik hem vanuit de VS belde, konden we ons ergens in vastbijten en boos worden. Ik denk dat hij respect voor me had omdat ik voor mijn mening durfde uitkomen en niet bang was te zeggen dat ik het niet met hem eens was. Soms dacht ik dat ik ruzie met hem maakte juist om zijn respect te verdienen. Hij was belangrijk voor me; wat hij van me vond, was belangrijk.

Hij was bekrompen, racistisch, chauvinistisch en veel te arrogant. En toch was ik dol op hem. Familie krijg je niet in een doosje toegestuurd met garantiebewijs erbij. Thatha belichaamde de eigenschappen die ik niet graag in anderen zag, maar er was nog veel meer – hij was onbuigzaam met een stalen wil om er het beste van te maken. Toen Thatha nadat India onafhankelijk werd bij de staatsbank van Andra Pradesh ging werken, begon hij als kassier. Toen hij met pensioen ging, was hij directeur van de belangrijke kantoren in Hyderabad. Ik was ook niet iemand die snel bij de pakken neer ging zitten. Zijn bloed vloeide in mijn aderen; dat viel niet te ontkennen. En wanneer het hoog opliep, wist ik dat ik meer op hem leek dan ik wilde toegeven.

'Vaak gaan stelletjes die zijn uitgehuwelijkt niet van elkaar houden, maar leren ze elkaar verdragen,' zei ik. 'Ik ken vrouwen die heel ongelukkig zijn met de man die hun ouders hebben uitgekozen... maar ze kunnen er niets meer aan doen. Waarom iemand tot een ongelukkig leven veroordelen?'

'Een ongelukkig leven?' reageerde Thatha spottend. 'Priya, je doet net of we onze kinderen aan verkrachters en moordenaars uithuwelijken. Ouders houden van hun kinderen en doen wat het beste voor hen is.'

Ik schudde mijn hoofd. 'Ik denk dat veel ouders hun kinderen niet erg goed kennen, en als je je eigen kind niet kent, hoe weet je dan wat het beste voor hem of haar is?'

'Denk je dat jij het beter weet dan je ouders?' vroeg Thatha op scherpe toon.

'Soms wel.'

Thatha lachte, een bulderende lach diep vanuit zijn borst. 'Dit haar is niet van de zon wit geworden,' zei hij terwijl hij door zijn dikke bos wit haar streek. Ondanks zijn hoge leeftijd was hij niet kaal geworden.

'Denkt u dat u het allemaal beter weet?' vroeg ik.

Thatha grinnikte alleen maar.

'Nou... hoe vindt u het dan dat Lata om de verkeerde reden zwanger is geworden?' vroeg ik omdat het me dwarszat.

Thatha trok een wenkbrauw op, net zoals mijn moeder en ik dat ook konden. 'Ik vind dat de familienaam moet blijven voortleven.'

'Ten koste van alles?'

'Niet álles,' antwoordde Thatha met een lach.

'Neelima is ook zwanger,' vertelde ik hem. Ik zag zijn gezicht vertrekken van woede. 'Stel dat zij een zoon krijgt?'

'Dan krijgt ze een zoon.' Hij haalde zijn schouders op.

De terloopse manier waarop hij een kleinkind als van geen belang afdeed, maakte me kwaad. 'Stel dat... dat Nanna geen brahmaan was? Stel dat Ma en Nanna van elkaar waren gaan houden en getrouwd waren? Zou u dan niet mijn Thatha zijn?'

Hij stond op en ik besefte dat ik over de schreef was gegaan. 'Dat zullen we nooit weten,' antwoordde hij koeltjes. Ineens lachte hij. 'Je blijft nog een paar dagen,' ging hij opgewekt verder. 'Ik wil geen ruzie maken over iets wat je niet aangaat.'

Ik was verslagen, maar ik wist dat de strijd nog niet helemaal was verloren. 'Laten we naar binnen gaan,' stelde ik voor. 'Het is tijd voor de lunch, misschien kan ik in de keuken helpen.'

'Maak maar *avial*. Jouw avial is het lekkerst,' droeg hij me liefjes op.

Avial is het enige Zuid-Indiase gerecht dat ik naar behoren kon bereiden. Thatha was gek op mijn avial, die vond hij lekkerder dan die van Ma.

~

To: Priya Rao <Priya—Rao@yyyy.co,>
From: Nicholas Collins <Nick—Collins@xxxx.com>
Subject: Re: Re: Goede reis?

Niets meer van je gehoord. Je bent zeker bij je grootmoeder om mango in te maken. Wilde je even zeggen dat ik je mis.
Nick

Deel 2

Olie en kruiden

Avial (Zuid-India)

1 kopje dikke yoghurt
150 gram yam of gele pompoen
2 rauwe bananen
2 'drumsticks' (Indiase groente, vers of uit blik)
1 aardappel
½ kopje gedopte doperwtjes
½ kopje kurkumapoeder (koenjit)
¼ kopje kokosolie
kerriebladeren
zout

Voor het papje
½ kokosnoot
6 of 7 chilipepers
1 theelepel komijnzaad

Wrijf het vlees van de kokosnoot, de groene chilipepers en het komijnzaad fijn zodat er een soepele massa ontstaat. Voeg tijdens het wrijven een klein beetje water toe. Roer de massa door de yoghurt en laat het geheel staan. Schil de groente, hak die fijn en kook met een beetje water. Meng het zout en het kurkumapoeder door de gekookte groente. Voeg het yoghurtpapje toe aan de groenten en verwarm voorzichtig zodat het niet gaat schiften. Haal van het vuur en voeg de kokosolie en de kerriebladeren toe. Goed roeren. Opdienen met witte rijst.

Thatha en zijn vrolijke vrouwen

Eigenlijk was het helemaal niet de bedoeling dat Thatha met Ammamma trouwde. Dat gebeurde per ongeluk. Thatha was met zijn ouders naar het dorp gegaan waar Ammamma woonde om op bezoek te gaan bij haar nichtje, met wie een huwelijk werd beoogd.

'Maar toen zag ik háár,' zei Thatha. 'En ik wilde alleen nog met haar trouwen. Wat wist ik ervan? Ik was nog pas vijftien.'

'Mijn vader stemde meteen toe,' zei Ammamma dan. Ze giechelde erbij of ze nog dertien was, een blozende bruid. 'Ratna (haar arme nichtje) heeft vijf jaar niet tegen me gepraat. Maar zij trouwde ook en haar echtgenoot is arts met een eigen kliniek in Vaisakh. Wat een bof, enh?'

Ik wist nooit of Thatha en Ammamma boften dat ze met elkaar getrouwd waren of dat Thatha vond dat hij te jong was geweest om tot een goede beslissing te komen. Of misschien dacht Ammamma dat zij met die arts had kunnen trouwen als Ratna met Thatha was getrouwd.

In ieder geval, geluk en liefde was niet het doel van hun huwelijk. Ze hadden twee zonen en twee dochters en nu probeerden ze een kleinzoon via de mannelijke lijn te krijgen. Ze leidden een rechtschapen leven en niemand zou hen van het tegendeel kunnen overtuigen.

'Hebben jullie weer granaatappels gegeten?' vroeg Ma zodra Thatha en ik binnenkwamen.

Terwijl ik met Thatha stiekem onder de fruitbomen liep, hadden de anderen de mango's er flink van langs gegeven. Overal lagen plakken mango voor verschillende doeleinden. Er waren dikke plakken geschilde mango in een emmer naast een groot laken van witte mousseline. Die waren zeker bestemd voor een andere manier om mango in te maken, *maggai*.

Voor maggai moesten plakken mango, bedekt met kurkumapoeder, zout en olie, twee dagen in de felle zon worden gedroogd. Wanneer ze gedroogd en bijna breekbaar waren, werden ze gemarineerd in een mengsel van olie en kruiden. Andere stukken mango lagen in kleurige plastic emmers. De donkerroze en gele emmers waren van Lata, de knalgroene en lichtroze van Ma, de drie rode van Ammamma en de blauwe van Neelima.

De mango's voor de avakai waren ongeschild en de harde behuizing van de pit was niet weggesneden. Ik lachte bij de gedachte aan de restjes ingemaakte mango die na het eten op de randen van de borden achterbleef – de harde stukjes lagen in bloedrode olie als gesneuvelde soldaten op een slagveld van yoghurt en rijst. Ik vond het altijd een barbaarse gewoonte om de ingemaakte mango met je handen te eten, het vruchtvlees van de pit te scheuren. Nu vond ik het exotisch, alsof het iets uit een andere cultuur was en daarom toegestaan.

'Och kom, Radha, ik heb mijn kleindochter zeven jaar

niet gezien.' Thatha sloeg zijn arm om me heen. 'En de granaatappels waren rijp, ze wordt er niet misselijk van.'

Ik was diep geschokt toen mijn moeder lachte. Het mijn ouders om de zeven jaar zien had zo zijn voordelen – alles werd gemakkelijk vergeven, natuurlijk binnen bepaalde grenzen. Het met een Amerikaan willen trouwen viel uiteraard niet in de categorie dingen die snel werden vergeven. Ik lachte niet op mijn gemak en Thatha kneep even in mijn schouder.

'Zo, en wanneer ga je trouwen?' vroeg hij alsof hij gedachten kon lezen. Ik schuifelde met mijn voeten.

De lach van mijn moeder veranderde in een pruillip. 'Zodra we een aardige jongen hebben gevonden... Iemand op wie zij niets aan te merken heeft. De jongens die we haar sturen, bevallen haar niet. Het lijkt wel of er hoorns uit hun voorhoofden groeien of zo.' Ze zuchtte eens diep. 'Nanna, u moet maar eens met haar praten,' zei ze alsof hij haar laatste hoop was, alsof hij me kon overhalen te trouwen. Ik luisterde al niet naar mijn eigen vader, hoe kwam ze erbij dat ik naar de hare zou luisteren?

Sowmya stopte de zoom van haar sari bij haar middel in en pakte een emmer vol gesneden mango op die lusteloos tegen elkaar aan glibberden. Ik zag het als mijn kans een gesprek over mijn bruiloft te vermijden en pakte de andere emmer die vol zat met olie, kurkuma en zout.

'Neelima, wil jij de doek naar boven brengen?' riep Sowmya toen we bij de trap naar het dakterras kwamen. 'Er moet nog zo veel gebeuren en Lata en je moeder doen helemaal niets. Ze zitten alleen maar bevelen uit te delen. In hun vorige leven waren ze zeker koninginnen, *maharani's*.'

Ik grijnsde. 'En dan eisen ze de eer voor de pachadi ook nog voor zichzelf op.'

Sowmya snoof. 'Mijn avakai is beter dan die van hen. Dacht je dat ze naar boven zouden komen om werk te verzetten? Kom nou! Ze blijven lekker onder de ventilator zitten terwijl wij ons daarboven in het zweet werken.'

Op het terras stond een bed met een vlechtwerk van kokosvezel dat werd gebruikt om mango of ander fruit of groente in de zon te drogen. Want de zon scheen er – de betonnen vloer was bloedheet, brandend heet.

'Au, au, au.' Sowmya en ik dansten over de verzengende vloer omdat de hitte pijn deed aan onze blote voeten. We bereikten het bed van kokosvezel waarnaast een hoge kokospalm een beetje schaduw op de vloer wierp. Daar was het iets koeler, daar was het draaglijk om met blote voeten te lopen.

'Ik had sandalen moeten aantrekken,' zei ik. 'Ik was vergeten hoe warm het wordt.'

'Och, sandalen zijn voor watjes,' reageerde Sowmya lachend. 'Ik weet niet hoe je tegen de kou in Amerika kunt. Het wordt daar toch heel koud?'

Ik haalde mijn schouders op. 'In San Francisco is het altijd koud, maar rond de Bay Area wordt het 's zomers erg warm. Het is er inderdaad koud, maar niet dramatisch. Het sneeuwt er nooit of zo.'

'Waarom is het in San Francisco altijd koud?'

'Omdat het aan een baai ligt. Vaak maakt iemand een grapje dat ze hun koudste winter in San Francisco beleefden toen het zomer was.'

'Waarom woon je daar dan?' vroeg Sowmya.

'Omdat ik het een prettige stad vind,' antwoordde ik. Ik

vertelde haar niet dat Nick veel meer op de stad was gesteld dan ik. Ik zou het niet erg vinden om in South Bay te wonen waar Indiase restaurants en bioscopen waren. Maar Nick vond het fijn om gewoon naar buiten te kunnen lopen en in een café een kop koffie en een croissant te halen.

'Vroeg in de morgen heb ik nog geen zin in *tandoori chicken,*' zei hij altijd als ik klaagde over San Francisco, en dat ik het vervelend vond om na het werk in South Bay naar een parkeerplaatsje te moeten zoeken, en hoe fijn het zou zijn om dicht bij al die Indiase restaurants te wonen.

Afgezien van mijn geklaag vond ik het in San Francisco ook prettig wonen. Niet zo fijn als Nick, maar ik vond het plezierig om in een drukke stad te wonen. Ik vond het fijn om uit het raam te kijken en te weten dat ik in de Verenigde Staten was, in het land van onbegrensde mogelijkheden. Ik had er hard voor gewerkt om er te kunnen komen en vooral als ik met een kopje koffie op het balkon over de stad uitkeek, was ik me er sterk van bewust dat ik in Amerika was.

Neelima kwam boven en spreidde het laken over het bed uit. We dompelden de mango's in de emmer met olie, zout en kurkuma.

Het was dikke pret, net zoals vroeger toen ik als kind op bezoek bij mijn grootouders kwam. Mijn handen roken dan nog dagen naar kurkuma en bleven nog lang geel. Ik had dit al zo lang niet gedaan dat het me overrompelde dat ik het zo had gemist. Ik had veel moeten achterlaten toen ik uit India vertrok en had daar nauwelijks bij stilgestaan. Ik was zo opgegaan in het in Amerika zijn dat ik de kleine geneugten zoals stukken mango in een slijmerig papje dopen was vergeten. Ik had het niet eens gemist.

Het was alsof ik uit twee personen bestond: de Indiase Priya en de Amerikaanse Priya, de Priya van Ma en de Priya van Nick. Ik vroeg me af wie de echte Priya was.

Ik had altijd gedacht dat zelfevaluatie onzin was. Het betekende niets. Hoe kon je niet weten wie of wat je was? Ik dacht dat we wisten wie we waren, dat we dat precies wisten en dat pas wanneer het niet bevalt, we diep in ons onderbewuste moeten graven om iets beters naar boven te halen, iets waarmee we kunnen leven. Moest ik nu dieper graven om erachter te komen wie ik afgezien van Nicks Priya en Ma's Priya werkelijk was?

We legden de met olie en kruiden bedekte stukjes mango op de doek. We maakten gele vingerafdrukken op het smetteloze wit.

'Heb je het je Thatha verteld?' vroeg Neelima zonder me aan te kijken, en plotseling zat ik weer tot mijn nek in de familiepolitiek.

Het zat allemaal zo ingewikkeld in elkaar. Als een klap met een zak mango's drong het tot me door dat ik hier niet kon leven. Het was één ding om heimwee naar mango's en GELUK te hebben, het was onmogelijk om hier dag in dag uit te zijn. Ik wilde niet meer dicht bij mijn familie wonen. Ik was een paar uur in Thatha's huis en nu al ziedde ik over een aantal dingen van vrouwelijke woede.

Ik wilde afstand scheppen tussen India en mijn familie, en mezelf. Ik wilde niet ten prooi aan al die gevoelens zijn, ik wilde net doen of dit iemand anders overkwam, niet mezelf. Maar ik wist dat dat onmogelijk was. Ik kende deze mensen en zij kenden mij. Hoe vreselijk het allemaal ook werd, ik zou hen nog steeds kennen en zij mij. Er was geen ontsnappen aan, dit was het hier en nu en of ik het leuk vond of niet, ik was nu hier.

'Ik heb het hem verteld,' zei ik zacht.

Neelima verlangde naar goedkeuring van Ammamma en Thatha, maar die zou ze nooit krijgen, nooit werd ze volledig geaccepteerd. Om goedgekeurd te worden moest ze eerst sterven en dan als Telugu-brahmaan terugkomen. Ik had medelijden met haar, maar ik voelde ook ergernis. Wat deed ze hier? Als Nicks familie mij net zo behandelde als Ammamma en Thatha Neelima behandelden, kreeg Nick de wind van voren en zou ik niet meer met zijn familie omgaan.

Maar Nicks familie was geweldig. Wanneer we in Memphis bij hen op bezoek gingen, accepteerden ze me volledig. Ze waren echt heel lief voor me. Toen ik de eerste keer met Nick meeging, was het Thanksgiving. Ik was zenuwachtig. Stel dat ze me niet mochten? Ik was Indiër en vroeg me af of ze daarom een hekel aan me zouden hebben, net zoals mijn ouders een hekel aan Nick zouden hebben omdat hij Amerikaan was.

Nicks moeder kon het niet schelen wat mijn afkomst was, maar dat ik uit India kwam, vond ze wel heel erg interessant. Die eerste keer zei ze: 'Ik heb nog nooit met iemand uit India gesproken, maar ik ben dol op curry.'

En dankzij kerriepoeder en kalkoen raakten we bevriend, Nicks moeder en ik. Ze heette Frances en was heel aardig. Ze dacht altijd aan mijn verjaardag en stuurde dan een cadeautje, iets waarvan ze wist dat ik het graag wilde hebben. Ze ondervroeg Nick en probeerde uit gesprekken met mij af te leiden wat ik graag wilde, en ze zorgde ervoor dat het cadeautje mooi ingepakt en op tijd aankwam. Ze had het vaak over onze 'naderende' bruiloft en veranderde met de regelmaat van een klok het menu voor het diner – haar manier om me te laten weten dat we moesten opschieten en haar kleinkinderen schenken.

Nicks vader was vijf jaar eerder gestorven en van wat Nick me over hem vertelde, speet het me dat ik hem nooit had leren kennen. Hij was coach van het footballteam op een middelbare school en vond het helemaal niet erg dat Nick accountant werd en Nicks broer Doug souschef in New Orleans.

'Hij zei altijd voor de grap dat we doetjes waren,' zei Nick toen ik hem naar zijn vader vroeg. 'Ik mis hem. Hij zei nooit wat we moesten doen. Ik denk dat als ik balletdanser had willen worden, mijn vader zou hebben gezegd dat ik een doetje was en me daarna naar de balletschool had gereden.'

Frances had me voor mijn vertrek naar India gebeld. 'Zeg maar dat je zwanger bent. Dan willen ze dat je stante pede met Nick trouwt,' grapte ze toen ik haar vertelde dat ik bang was mijn familie van Nick te vertellen.

'En, wat zei je Thatha van de baby?' vroeg Neelima zedig.

'Niets,' antwoordde ik. Ik ging in kleermakerszit zitten met mijn hand nog in de roze emmer. 'Waarom blijf je hier komen, Neelima?' vroeg ik op de man af.

Geschokt keek ze me aan.

'Priya!' riep Sowmya uit.

Ik schudde mijn hoofd, legde mijn hand op de doek en maakte een gele handafdruk. 'Zo bedoelde ik het niet,' zei ik uiteindelijk. 'Ik bedoel, ze behandelen je... Nou ja, ze behandelen je alsof ze je niet mogen.'

'Hoe kunnen ze haar aardig vinden als ze haar niet kennen?' kwam Sowmya voor Neelima op.

'Denk je nou echt dat ze haar aardig gaan vinden als ze haar kennen?' reageerde ik een beetje geërgerd. 'Anand blijft haar hier naartoe sturen en zij... zij willen haar hier niet, Sowmya.'

Neelima snufte en we draaiden ons allebei naar haar om. O god, moest ze nou echt gaan huilen? Ik had een afkeer van vrouwen die altijd maar ergens om moeten huilen. Neelima was sinds ik haar kende al aan het huilen of ze stond op het punt te gaan huilen.

'Toe maar.' Sowmya stootte haar schoonzusje met haar elleboog aan omdat haar handen onder de kurkuma zaten.

'Met huilen los je niets op,' zei ik vermanend. Ze zagen eruit als jonge hondjes die net een trap hadden gekregen.

'Doe niet zo rot,' zei Sowmya streng. 'Je hebt geen idee wat ze allemaal moet doorstaan.'

Ik haalde mijn schouders op. 'Wat doet het ertoe? Ik begrijp dat ze door een hel is gegaan, maar ik snap niet waarom ze steeds weer hier moet komen voor nog een portie.'

'Omdat Anand dat wil,' zei Neelima. Ze veegde haar tranen met de mouw van haar rode blouse af. 'Hij stuurt me steeds weer hier naartoe opdat zijn ouders ons leren accepteren. Maar dat gebeurt niet, hè? Priya heeft gelijk, Sowmya. Ze wíllen ons niet accepteren.'

'Daar gaat tijd overheen,' zei Sowmya ernstig.

'Hoe veel tijd?' vroeg Neelima schamper. 'We zijn al meer dan een jaar getrouwd en ik krijg binnenkort een kind. Hoe zullen ze mijn kind behandelen?'

'Misschien krijg jij een zoon en Lata een dochter,' zei ik om de situatie een beetje op te doen klaren.

Sowmya en Neelima lachten.

'En jouw ouders?' vroeg ik. 'Accepteren zij Anand wel?'

Neelima knikte. 'Ze zijn erg met hem in hun sas. Ze probeerden zelfs vriendschap te sluiten, maar zijn ouders willen niets met mijn ouders te maken hebben. We deden echt ons best, hoor. We nodigden hen allemaal bij ons thuis uit zodat de ouders met elkaar konden kennismaken. Maar ze kwamen niet eens, ze belden op het laatste moment af met een smoesje dat er iets met het water was. Mijn moeder was erg van streek en mijn vader... Ach, de schat zei dat ik goed moest oppassen en dat hij me door dik en dun zou blijven steunen.'

Sowmya keek haar kwaad aan. 'En wat wilde hij daarmee zeggen?'

Neelima stak haar hand in de roze emmer, legde het laatste handje mango op het laken en spreidde dat netjes uit.

'Neelima!' drong Sowmya aan, en Neelima gooide het laatste stukje mango met kracht neer.

'Nou, gewoon,' zei ze kwaad. 'Jouw ouders behandelen me als oud vuil en de mijne zijn zo aardig voor Anand. Als het niet beter wordt en Anand erop blijft staan dat ik zijn ouders gelukkig maak, wat heb ik dan nog voor keus?'

Ik was diep geschokt. Een scheiding? Had ze het over scheiden en alleenstaande moeder zijn?

'Maar nu ben ik zwanger,' voegde ze eraan toe. Ze schudde haar hoofd. 'Anand en ik zijn heel gelukkig samen.'

Dat antwoord beviel Sowmya. 'Mijn ouders draaien wel bij.'

Het was een lege belofte. Ooit zouden ze haar accepteren, maar ze bleef altijd de vrouw die hun lieve, onschuldige jongen had gestolen.

'Laten we hier weggaan voordat we een zonnesteek krijgen,' stelde ik voor, en we gingen naar beneden om te koken voor de lunch.

Lata en Ma waren al in de keuken groente aan het snijden. Ze babbelden over een bruiloft waar ze een paar weken geleden waren geweest.

'Ze was dik, zo dik,' zei Lata. 'En hij... Een goede vangst!'

'Ik heb gehoord dat de bruidsschat dertig *lakhs* bedroeg, contant, en ook nog een nieuwe Honda,' vertelde Ma samenzweerderig.

'Dertig lakhs... Ze hebben veel geld en hebben daar een goede echtgenoot van gekocht.' Lata haalde haar schouders op en toen wij binnenkwamen, keken ze allebei op.

'Kan ik ergens mee helpen?' vroeg Neelima beleefd. Onmiddellijk werd ze weggestuurd. Deze keer huilde ze niet, ze draaide zich gewoon om en vroeg Sowmya haar de nieuwe sari's te laten zien die ze de vorige week in de uitverkoop had gekocht. Ik ging naast mijn moeder op de grond zitten en keek naar de groenten in de roestvrijstalen bakjes die overal stonden.

'Er ligt een halve kokosnoot in de ijskast,' zei Lata. 'Die heb je nodig voor de avial.'

Ik haalde de kokosnoot uit de ijskast, zette die vast in de kokosschraper en draaide aan de hendel. Snippertjes kokos vielen in het stalen bakje.

Mijn moeder stond op om weg te gaan. Ik wist dat ze het niet prettig vond dat mijn grootvader wilde dat ik kookte. Ik weet niet waarom ik een wedstrijdje met mijn moeder aanging, maar ik had het gevoel dat ze precies bijhield wat Thatha zei, en de stand op het scorebord was: Priya: 1; Ma: 0.

'Ik heb rugpijn,' klaagde mijn moeder niet erg overtuigend, ook al wreef ze met haar hand over het holletje van haar rug. 'Ik ga even bij Ammamma uitrusten. Jullie kunnen het samen wel af, hè?'

Ik maakte een bevestigend geluidje, maar keek niet op van mijn kokosnoot.

'Ze is niet blij met je,' zei Lata terwijl ze een ontsnapte haarlok uit haar mooie, hartvormige gezicht streek.

'Ze is nooit blij,' mopperde ik.

Ze lachte. 'Ooit moet je toch trouwen,' zei ze. Ze trok een plat blok hout naar zich toe en knipte het mes uit. Ze zette een voet met keurig gelakte nagels tegen het blok en sneed aardappels met het scherpe mes. Haar gouden teenring en de knalrode nagellak staken fel af tegen het verweerde hout.

'Ooit ga ik trouwen,' zei ik. 'Ik ben er nooit achter gekomen hoe je dat mes moet gebruiken. Ik was altijd bang dat ik ertegen aan zou lopen.'

'Het is heel makkelijk,' zei Lata terwijl ze zwierig nog een aardappel sneed. 'En, heb je een vriend? Wil je daarom niet trouwen?'

Had ze zo veel inzicht, of was het iets wat de familie vermoedde, maar wat mijn moeder me niet had verteld?

'Ik ben nog maar zevenentwintig, er is nog tijd genoeg om te trouwen,' ontweek ik de vraag. 'En zeg nou niet dat toen jij zevenentwintig was, je al was getrouwd en kinderen had.'

Lata liet weer een plakje aardappel in de kom water vallen zodat het niet bruin kon worden. 'Je weet best hoe het zit. Maar zevenentwintig is oud. Wanneer krijg je kinderen? Hoe eerder hoe beter, want anders... Misschien lukt het dan niet meer.'

'Misschien wil ik wel geen kinderen,' zei ik geërgerd. Had geen van de vrouwen in mijn familie dan een oorspronkelijke gedachte? De ene tante zei dat ik moest leren koken opdat mijn man niet van honger zou omkomen, de ander wilde dat ik zwanger werd voor het te laat was. En dan was er nog mijn moeder die wilde dat ik maakt niet uit met welke man trouwde, als hij maar goed verdiende.

'Alle vrouwen willen kinderen,' merkte Lata achteloos op. 'Mijn broer in Los Angeles zei dat Indiërs – niet die buitenlanders, maar jongens en meisjes uit India – tegenwoordig samenwonen... Dat ze álles doen, ook als ze niet getrouwd zijn. Waarom trouwen ze niet gewoon?'

'Omdat ze eerst een tijdje willen samenwonen, zich niet meteen voor het leven willen binden. Misschien willen ze eerst kijken hoe het gaat. Een huwelijk is een ernstige zaak. Je trouwt echt niet met de eerste man met wie je naar bed gaat of met wie je samenwoont,' zei ik om haar eens lekker tot in het diepst van haar ziel te schokken.

Aan de geschokte uitdrukking op haar gezicht te zien was ik in mijn opzet geslaagd. Maar ik wist dat ze het mijn moeder zou vertellen, of erger nog, aan Thatha en dan zouden de vragen me om de oren vliegen.

Met een scherpe blik keek ze me aan. 'Zou jij met een man gaan samenwonen zonder met hem te trouwen?'

Met Lata praten was net zoiets als je in een mijnenveld begeven. 'Waarom moet alles op mij betrekking hebben?'

Ik complimenteerde mezelf met mijn uitgestreken gezicht.

Lata ging verder met het aardappels snijden. 'Weet je, Anand en Neelima... die deden het voor het huwelijk. Ik denk dat ze daarom zijn getrouwd.'

'Omdat ze met elkaar naar bed waren gegaan?' Ik hield even op met de kokosnoot te schrapen, toen begon ik weer.

Lata pakte een kalebas die net zo groen was als haar sari en sneed die in brokken om het schillen te vergemakkelijken. Daarna hakte ze die in stukken voor de *pappu*.

'Wíj zijn niet als die blanke vrouwen die met honderden mannen naar bed gaan. Wíj trouwen met de man met wie we vrijen. Neelima heeft hem in de val laten lopen,' zei ze.

'Waarom zou hij met haar trouwen als hij toch al met haar naar bed was geweest? Waarom zou dat wat uitmaken?' Ik wist dat het geen zin had het met Lata over Neelima en het huwelijk te hebben, maar ik had het er al uitgeflapt voordat ik er erg in had.

'Anand is een lieve jongen,' legde Lata uit, maar haar logica klopte niet helemaal. 'Neelima heeft hem verleid en toen moest hij wel met haar trouwen.'

'Zijn ze dan niet gelukkig samen?' vroeg ik boven het geluid van de schraper uit die nu tegen de lege bast van de kokosnoot aankwam. Ik gooide de noot weg en liet mijn vingers door de witte stukjes vruchtvlees in de kom gaan.

Lata legde een gele pompoen voor me neer. Ik legde die op de dikke snijplank die mijn moeder had gebruikt, daarna stond ik op om een mes met een lang lemmet uit de messenhouder te pakken die zich naast de gootsteen bevond.

'Anand lijkt gelukkig,' reageerde ze. 'Maar dat weet je nooit zeker. Als buitenstaander is zoiets moeilijk te beoordelen.'

Dat was ik met haar eens. Maar als buitenstaander zag ik wel dat het huwelijk van Lata en Jayant een ramp was. Ze gunden elkaar het licht in de ogen niet. Niet dat ze steeds ruzie hadden, het was meer het op elkaar afgeven, de vijandigheid. Eén blik op Lata en Jayant en je wilde niet meer uitgehuwelijkt worden. Hun huwelijk was duidelijk geen succes, maar ze zaten vast in een verstikkende verhouding en kind nummer drie was onderweg. Ik vroeg me af wie er had besloten nog een kind te krijgen, Jayant of Lata. Wie was het eerst bezweken onder de druk die Thatha op het paar had uitgeoefend?

'Hoe is het met Apoorva en Shalini?' Ik bracht het gesprek op haar kinderen terwijl ik de enorme gele pompoen sneed.

'Heel goed,' antwoordde ze trots. 'Shalini is met *Bharatnatyam* begonnen, ze danst heel sierlijk. Apoorva leert de *veena* te bespelen. Ik vind het belangrijk dat meisjes iets van klassiek dansen of muziek weten.'

'Hoe vinden ze het dat ze een broertje of zusje krijgen?'

Ze trok haar wenkbrauw op. Ze sneed een brok kalebas door en legde de stukjes in het roestvrijstalen kommetje. 'Wie heeft je dat verteld? Neelima?'

'Nee, Neelima was het niet,' loog ik. Ik begon de pompoen te schillen.

Lata pakte de stukjes geschilde pompoen en sneed ze klein met het lemmet dat uit de snijplank stak. De stukjes liet ze in nog een roestvrijstalen kommetje vallen.

'Ze hebben me gedwongen,' zei ze. 'Eerst was het alleen *Mava*, toen was het *Atha* en toen begon Jayant ook al. Wat moest ik doen? Ik heb mijn plichten tegenover de familie van mijn man.'

'En wat als je weer een dochter krijgt?' vroeg ik. Die vraag was natuurlijk taboe.

'Dat gebeurt niet,' reageerde ze heftig, alsof ze dat zo kon voorkomen. 'Het zou natuurlijk kunnen, maar ik hoop van niet. Dan is alles voor niets geweest.'

'Maar wat doe je als het een meisje is?' drong ik aan.

Lata lachte zacht en keek me toen recht aan. 'Ik hou van mijn kinderen. Het maakt me niet uit of het jongens of meisjes zijn. En van dit kind zal ik ook houden. Ik hoop alleen maar dat het een jongen is omdat jouw Thatha dat zo graag wil.'

Ik geloofde er geen woord van.

'Volgende week weten we of het een jongen of een meisje is,' ging ze verder. 'Tegenwoordig kunnen ze dat in de zestiende week zien. We laten vruchtwateronderzoek doen.'

'En dan?'

'Dan weten we het.'

Ik vroeg haar maar niet of ze een abortus zou laten doen; ik wilde het eigenlijk liever niet weten.

Dan is alles voor niets geweest, had ze gezegd. Nog lang galmden die woorden in mijn hoofd na.

⁓

De lunch werd opgediend op de enorme eettafel in de eetkamer naast de keuken. Roestvrijstalen borden tikten tegen het formica en de glazen probeerden houvast te vinden. De tafel paste hier niet. Het formica vloekte bij de rood met gele raamsponningen waartegen de tafel stond. De tafel was ook te groot voor de ruimte en paste totaal niet bij de stoelen die Thatha jaren geleden had aangeschaft, nog voor die tafel.

Het formica zelf was bobbelig geworden na al die jaren dat er pannen zo van het vuur op waren gezet, of van water dat tussen het plastic laagje en het goedkope hout was gekomen.

De nieuwe eettafel was in de plaats gekomen van een stevige, houten tafel die veel lager was en waaraan we in kleermakerszit op stromatten konden zitten eten. Maar die tafel was in de berging opgeborgen toen het vanwege Ammamma's artritis noodzakelijk werd iets te hebben waar haar knieën minder pijn van deden. Thatha had de tafel in een meubelzaakje in Abids gekocht, waar ze voornamelijk opzichtige tv-meubels verkochten en ander spul van net zulke slechte kwaliteit als deze tafel.

Thatha vond het formaat van de tafel mooi, en het glanzende tafelblad was hem ook bevallen. Na een halfjaar al was de glans eraf en was het formica dof en bobbelig geworden, maar toen had de meubelzaak zijn deuren gesloten en zat Thatha aan deze tafel met bobbels vast.

Een berg warme rijst stond in het midden van de tafel en daaromheen schaaltjes met avial, pappu van kalebas, aardappelcurry en koude yoghurt.

Twee karaffen ijskoud water raakten in een mum van tijd leeg en de ventilator aan het plafond ratelde erop los, maar bracht weinig verlichting voor de hitte. Maar daar wende ik al aan.

'Ben je in New York geweest?' vroeg mijn grootmoeder terwijl ze op haar eten aanviel. Ze kauwde met haar mond open.

'Ja,' zei ik. Ik hield mijn blik op mijn bord gericht waar

mijn vingers druk met de rijst en de romige pappu in de weer waren. Het was makkelijk om weer met mijn handen te eten. Ik was vergeten hoe fijn het was de rijst met de pappu te mengen. Alles smaakte veel lekkerder wanneer je met je handen at.

'Heerlijke avial, Priya-Amma,' zei Thatha. Ik was blij met het complimentje en knikte hem toe.

'In New York is het heel gevaarlijk,' zei Ammamma. Ze smakte met haar lippen en roerde met haar vingers de avial door de rijst.

'Blanken zijn allemaal schurken,' ging ze verder. Met een ruk hief ik mijn hoofd op. 'En die zwarten... die *kallu* zijn misdadigers.'

Geschokt sperde ik mijn ogen wijd open.

'Hoe weet u dat?' vroeg ik. Ik kon me er niet helemaal van weerhouden een beetje tegengas te geven. Nick zou van dit gesprek hebben genoten, dacht ik.

'Ik kijk naar Star TV,' zei Ammamma trots. 'Alle zwarten zijn aan de drugs en ze vermoorden elkaar op straat. Vishnu... Herinner je je hem nog?'

Ik herinnerde me hem niet, maar toch knikte ik.

'Zijn zoon werd in New York door een kallu beroofd. Een zwarte.' Ze nam een hap. 'Hij zette hem een pistool tegen zijn hoofd.' Ze sprak met haar mond vol en ik vertrok mijn gezicht, niet alleen om wat ze zei, maar ook bij het zien van het half vermalen eten. 'Die zwarten... Viezeriken zijn het.'

Hoe wist mijn grootmoeder dat? Had ze hen besnuffeld? Mijn ergernis raakte in conflict met de werkelijkheid van de situatie, en de werkelijkheid won.

'Precies,' zei Thatha, en daarmee gaf hij blijk dat hij er

niets van wist. 'Blanken zijn uitbuiters en zwarten zijn moordenaars. Dat land... Ze kennen geen normen en waarden. Ze scheiden maar raak.'

'Ze hebben best normen en waarden, Thatha.' Ik kon moeilijk blijven zwijgen terwijl zij de feiten verdraaiden.

'Welke dan?' vroeg Ma met een frons. 'Het ging prima met Manju en Nilesh toen ze hier waren, en het zou zo zijn gebleven als ze niet naar Amerika waren gegaan.'

Manju en Nilesh hadden ook aan de technische hogeschool gestudeerd. In het eerste jaar daar waren ze verliefd geworden en de vier jaar die de studie duurde bleven ze een paartje, en ook gedurende de twee jaar dat ze in de Verenigde Staten studeerden en toen ze in Silicon Valley gingen werken voordat ze trouwden. Maar ze leefden niet lang en gelukkig. Pas geleden waren ze gescheiden en dat had ik Ma niet moeten vertellen. Ze dacht meteen dat dat aan die verderfelijke Amerikaanse invloed lag.

'Ze zijn getrouwd,' legde Ma aan de anderen uit. 'Zelfde kaste, zelfde... Een goed huwelijk. Ze gingen naar Amerika en na vier jaar huwelijk gaan ze scheiden. Waarom? Als ze in India waren gebleven, was dat niet gebeurd.'

Ze had groot gelijk. In India zouden ze zeker niet zijn gescheiden. Hier was een scheiding absoluut niet gebruikelijk. Onder druk van hun familie zouden ze bij elkaar zijn gebleven, ook al ging Nilesh met alles wat een rok droeg naar bed, zelfs met Manju's getrouwde nichtje van een paar jaar ouder.

'Waarom zijn ze gescheiden?' vroeg Neelima zacht.

'Wat maakt dat uit?' Mijn moeder stond op het punt een tirade af te steken. 'Ze zijn gescheiden, en als ze in India waren gebleven, waren ze nog getrouwd. Daar kan

het niemand iets schelen. Vrouwen trouwen wel drie, vier keer en de mannen bedriegen hun vrouw. Ze gaan met Jan en alleman naar bed.'

Daarom wist ik dat het heel, heel moeilijk zou zijn mijn familie over Nick te vertellen. Ze hadden hun oordeel over de hele Westerse wereld al geveld, daar woonden uitsluitend misdadigers en uitbuiters. Nick zou nooit een eerlijk proces krijgen.

'Ze gaan niet allemáál met Jan en alleman naar bed,' kwam ik voor hen op. 'In de Zuidelijke staten gaan ze pas na de bruiloft met elkaar naar bed. Daar zijn ze heel godsdienstig.'

Ik wist niet hoe en waarom deze discussie was ontstaan. Ik kon me niet herinneren dat ik het ooit eerder met mijn familie over seks had gehad. Sowmya en ik hadden het er soms over, maar dat was meisjesgeklets. Dit was echt heel vreemd.

'En je hebt er ook van die godsdienstfanaten,' reageerde Thatha, en toen werd ik echt kwaad.

'Hier niet dan?' vroeg ik. 'Hoe kunt u dat allemaal over het Westen beweren als u er niets vanaf weet?'

Boos ging ik verder. 'Verdomme, dit land kent ook zijn gekken, hoor! Mannen laten hun vrouw alle hoeken van het huis zien en de vrouw blijft braaf bij hem. In Amerika kunnen ze tenminste aan hem ontsnappen. Ze kunnen gewoon een eind aan het huwelijk maken. Hier maak je niet zelf uit met wie je trouwt, met wie je heel je verdere leven moet samenzijn – dat doen je ouders! Is dat dan zoveel beter?'

De stilte viel als een moessonregen. Thatha keek me aan met die blik die hij voor ruziezoekers of geestelijk gestoorden bewaarde – ik weet niet goed tot welke categorie ik behoorde.

'Je wóónt alleen maar in Amerika. Het is je vaderland niet. Ze zullen je daar nooit accepteren. Je zult altijd een buitenstaander zijn, een kleurling. Hier accepteren ze je en ik wil niet dat er in mijn huis wordt gevloekt,' zei Thatha.

'Accepteren?' Ik was zo kwaad dat er geen houden meer aan was. 'Het spijt me dat ik vloekte, maar Thatha, u accepteert Neelima niet omdat ze uit een andere deelstaat komt. U accepteert niet eens alle Indiërs en u verwacht dat ik denk dat ik in deze gemeenschap wordt geaccepteerd? Hoe lang zouden ze me accepteren als ik volgens mijn eigen regels wil leven?'

'In elke gemeenschap bestaan regels,' bemoeide Lata zich ermee. 'Jij moet toch volgens de Amerikaanse regels leven?'

Ik lachte die spottende lach waarvoor mijn moeder me al mijn hele leven waarschuwde. 'Jawel, maar in die gemeenschap kan niemand me dwingen een kind te krijgen opdat de familie een mannelijke erfgenaam krijgt en–'

'Priya!' Mijn moeder legde me met één scherpe opmerking het zwijgen op. 'Je weet niet waarover je het hebt.'

Weer viel die stilte. Je hoorde alleen kauwen en het tegen elkaar tikken van kommetjes en borden. Niemand zei iets.

Ik had het verpest, ik kon mezelf wel voor het hoofd slaan. Zo maakte ik het er niet makkelijker op – eerder moeilijker. De klap zou extra hard aankomen. Waarom was ik zo stom om te proberen het standpunt van mijn familie ten opzichte van het verdorven en corrupte Westen te veranderen? Ik had net zo goed kunnen proberen in een korte broek Mount Everest te beklimmen.

To: Nicholas Collins <Nick—Collins@xxxx.com>
From: Priya Rao <Priya—rao@yyyy.com>
Subject: Re: Re: Re: Goede reis?

Ik heb vlak bij het huis van Ammamma een internetcafé
gevonden. Klein, en het is 30 Rs. per kwartier en het gaat
zoooo sloom, net slakkenpost. Maar het is er en zeven
jaar geleden was het er nog niet. Ik sta nog steeds
versteld dat er zo veel is veranderd en dat er zo veel
hetzelfde is gebleven.

Ik heb Thatha net gezien, en Nick, die man is een echte
chauvinist. Ik bedoel, hij is iets uit een museum. En de
anderen zijn al net zo erg. Ik heb je van Anand verteld en
dat hij met Neelima is getrouwd. Nou, je zou eens
moeten zien hoe ze dat arme meisje behandelen – als ze
haar regelmatig een klap in het gezicht gaven, was dat nog
niets vergeleken bij wat ze wel doen.

En je zult het niet geloven, maar Lata is weer zwanger.
Thatha wil een ZUIVER brahmaanse kleinzoon en een
zoon van Anand is niet goed genoeg. Neelima is geen
Telugu-brahmaan, snap je, zij is maar een Maharashtrian.
Dit is net een slechte Telugu-film; alle personages zijn
voorradig en allemaal in grijstinten: de onverzettelijke
schoonmoeder, de patriarchale schoonvader en natuurlijk
de zielige schoondochter van een ANDERE kaste.

Ik kan ook al niet met Ma opschieten. Ik doe mijn best,
maar het lukt niet. Ik wilde zo graag vriendinnen met haar
zijn en ik dacht dat dat kon omdat ik nu ouder ben. Maar

het mag niet zo zijn. Dat doet pijn. Ik droomde ervan dat we goed met elkaar overweg zouden kunnen als ik terug was. Maar de tijd heeft geen enkele invloed op onze verhouding gehad.

Nate maakt met vrienden een trektocht en ik zit hier met mijn helse familieleden. Ik zou zo graag willen dat ze anders waren, dat ze meer open stonden en niet zo snel met hun oordeel klaarstonden. Minder racistisch, toleranter. Ik wil zo graag dat ze jou accepteren. Maar hoe meer ik ervan zie, des te meer besef ik dat het hopeloos is.

Hoe moet ik het hun vertellen, Nick? Hoe moet ik ze in vredesnaam over jou vertellen? Het zal mijn hart breken dat ik het hunne moet breken. Maar ik hou van je en voel me totaal niet schuldig... En daar voel ik me schuldig over. Dat wordt toch van me verwacht, dat ik me schuldig voel?

Nou ja, ik moet ophouden. De man bij de kassa kijkt steeds op zijn horloge en dan naar mij... Subtiel als een kettingzaag. Ik kom een andere keer terug om de mailtjes op te halen.

EN IK GA NIET MET EEN JONGEN UIT INDIA TROUWEN!!! Hoe kom je daar toch bij?

Ik kom terug zo gauw ik kan.
Priya.

Zwemmen in arachideolie
en excuses

Na de lunch sleurde Ma me zowat naar de achtertuin. 'Je bent hier misschien maar een paar dagen, maar ik wil wel dat je je gedraagt,' zei ze. Ze hield mijn arm stevig beet.

Ik duwde haar hand weg en wreef over mijn pijnlijke arm. 'Ik maak zelf wel uit wat ik wel of niet zeg. En als je dat niet bevalt, ga ik wel weg.' Dat was niet wat ik had willen zeggen, maar ik was kwaad omdat ze me als een kleuter behandelde. Ik was een vrouw van zevenentwintig, bepaald geen kind meer. Wanneer drong dat toch eens tot hen door? Maar aan de andere kant, wanneer leerde ik me eens volwassen te gedragen? Waarom ging ik door het lint over iets wat me niet aanging? Ik wist best dat het niet uitmaakte wat Thatha en Ammamma van zwarten of blanken vonden. Toch kon ik er niets aan doen en had ik geen spijt van wat ik had gezegd. Op de een of andere manier voelde ik me gerechtvaardigd in het aanstoot nemen aan wat ze zeiden omdat het gelijk aan mijn kant stond. Maar dat veranderde niets aan het feit dat ik me had misdragen en mijn grootvader, mijn tante, mijn grootmoeder en mijn moeder had gekwetst. Om het beeld com-

pleet te maken, hoefde ik op straat alleen nog een bede-
laar een trap te verkopen.

'Is dat een dreigement?' vroeg mijn moeder. Ik keek
haar alleen maar aan, maar zei niets.

'Nou?' vroeg ze weer. Haar blik boorde zich in de
mijne.

Ik keek niet weg. Soms is het beter je angsten onder
ogen te zien dan ze te ontlopen. Ik hoefde alleen nog een
pruillip te trekken en dan was ik op en top de opstandige
tiener. Precies het beeld van mezelf dat ik niet wilde op-
roepen. Hoe kon ik hen er ooit van overtuigen dat ze op
mijn oordeel wat mannen betreft konden vertrouwen als
ik pruilde als een kind?

'Al die opofferingen die we ons voor jou hebben ge-
troost,' zei Ma vol afkeer. 'En zo betaal je ons terug?'

Ik trok achteloos een wenkbrauw op en het kleine beetje
schuldgevoel dat ik nog had verdween. 'Ma, begin alsjeblieft niet over opofferingen,' reageerde ik strijdlustig.
Mijn voornemen me deze twee weken als een voorbeeldi-
ge dochter te gedragen, verdween als sneeuw voor de zon.
Ik had een hekel aan uitspraken als: denk eens aan alles
wat we voor jou hebben gedaan. Ik geloofde daar niet in.
Ik heb mijn ouders nooit gevraagd me op de wereld te zetten. Zij hadden daarvoor gekozen en omdat mij niets was
gevraagd, was ik hun ook niets schuldig.

Mijn moeder bleef me kwaad aankijken en ze stond op
het punt om iets tegen me te zeggen toen Sowmya naar
buiten kwam met de vuile borden in een blauw teiltje van
plastic. Die moest de meid afwassen. Ze zette de teil naast
een plastic emmer die recht onder het lekkende kraantje
stond. Even hoorde je alleen het druppen van de kraan,

drupdrupdrup op een roestvrijstalen bord dat Sowmya net had afgespoeld.

Ze keek ons aan en legde haar hand op de schouder van mijn moeder. 'We gaan de olie en de kruiden mengen,' zei ze zacht.

Ma knikte afwezig, kennelijk nog steeds van slag. Ik weigerde me schuldig te voelen. Mijn hele leven al had mijn moeder me ingeprent dat ze veel voor me hadden opgegeven en dat ik dus precies moest doen wat ze zeiden. Ik had het wel gehad. Als ik er rustig over nadacht, wist ik dat ik overdreef. In vergelijking met anderen hadden mijn ouders me veel vrijheid gegeven. Ze hadden mijn studie bekostigd. Het had hun veel geld gekost om me naar de Verenigde Staten te laten gaan om me een beter leven te geven. Natuurlijk probeerden ze me aldoor uit te huwelijken, maar ze dwongen me nergens toe, zoals andere ouders wel deden.

Een studiegenoot op de technische hogeschool moest met een man trouwen die ze niet leuk vond, alleen omdat haar ouders zeiden dat ze niets beters kon krijgen. Hij vroeg niet eens om een bruidsschat – bofte zij even!

'Dit komt allemaal door Amerika,' stelde mijn moeder vast. 'Vroeger was je nooit zo ongezeglijk of brutaal.'

Ze ging naar binnen en ik bedwong de impuls om met excuses achter haar aan te gaan. De haat-liefdeverhouding die ik met Ma had werd gekruid met schuldgevoelens en de behoefte geaccepteerd te worden, ik denk van beide kanten. Ik wilde – nee, dat had ik nodig – dat Ma me accepteerde zoals ik was, niet zoals zij me zag. Ik wilde dat ze van Priya het individu hield, niet van de Priya die buiten haar fantasie niet bestond.

'Priya.' Sowmya probeerde me te troosten, maar ik stak mijn beide handen op om haar het zwijgen op te leggen.

'Ze wil niet geloven dat ik ben wie ik ben, dus geeft ze Amerika er maar de schuld van,' merkte ik zuur op. 'Ze kan niet geloven dat ik haar niet echt mag of dat het me niet uitmaakt dat Nanna en zij duizend dingen voor mij hebben opgeofferd.'

Leugens, allemaal leugens. Het kon me wel schelen, natuurlijk kon het me schelen. Maar net als cadeautjes waarnaar de goede gever bezitterig verwijst een last zijn, waren Ma en Nanna's opofferingen een last. Ik wilde niet dankbaar zijn omdat het moest.

'Maar dat hebben ze wel gedaan,' zei Sowmya.

Ik draaide me naar Sowmya om. 'En daarom ben ik nu hun bezit?'

'Nee, gewoon hun dochter.'

Ik schudde mijn hoofd. Sowmya wist het best van iedereen dat een dochter een bezit was, iets waarvan je je na verloop van tijd ontdeed. Sowmya was al een last en mijn grootouders konden niet wachten tot ze was getrouwd en het huis uit ging.

In het Telugu is het woord voor 'dochter' *adapilla,* van *ada* wat 'van hen' betekent en *pilla,* 'meisje'. Degenen die de taal hadden gecreëerd hadden de regels van de gemeenschap gevolgd en besloten dat een dochter niet zozeer van haar ouders was, maar van haar schoonouders. Ze hoorde bij iemand anders dan degenen die haar op de wereld hadden gezet en opgevoed.

'Maar ik ben niet alleen maar een dochter, ik ben mezelf,' reageerde ik vermoeid. Ik probeerde het niet als een cliché te laten klinken. 'Niemand geeft echt om mij. Ie-

dereen is geïnteresseerd in de dochter, de kleindochter...'
Mijn stem stierf weg en ik wiste de tranen van mijn gezicht. Ik had niet eens gemerkt dat ik huilde.

'Laten we naar binnen gaan,' stelde Sowmya voor. Ik
denk dat ze zich door mijn tranen ongemakkelijk voelde.
'We moeten de stukjes mango in de arachideolie leggen.'

We namen weer plaats in de woonkamer. Mijn grootvader deed in de slaapkamer ernaast een dutje en Ammamma lag op de bank zacht te snurken. Ma stampte in een
forse stenen vijzel zwart mosterdzaad fijn. De mosterdzaadjes die waren weggesprongen getuigden van de kracht
waarmee ze ze te lijf ging.

Ik ging naast Neelima zitten die gedroogde rode chili-
pepertjes stampte. In haar ogen stonden tranen en ik hield
mijn adem in. Overal in de lucht hing peperpoeder.

Lata deed fenegriekzaadjes in nog weer een andere vijzel.
Niemand zei iets. Ik had het gevoel dat ik hun de mond
had gesnoerd, dat ik een bom tot ontploffing had gebracht
en dat iedereen daar nu stilletjes van moest bekomen.

'Het spijt me, Lata,' zei ik nederig. Nu het bloed niet
meer in mijn oren gonsde, wist ik dat ik geen oordeel over
haar had mogen vellen. Zij had haar eigen keuze gemaakt
en ik, die het van het grootste belang vond dat iedereen
zijn of haar eigen keuze maakte, zou dat moeten respecteren. Lata lachte een beetje bibberig en haalde haar schouders op. Dat was meer dan ik verdiende.

'Ma,' riep ik, maar ze keek niet eens op. 'Het spijt me,
Ma. Echt.'

Ze deed of ze het niet hoorde. Ik slaakte een diepe
zucht. Daar had je haar weer, pruilen als een kleuter in
plaats van zich als een volwassen vrouw te gedragen.

Net als ik...

'Ma, het spijt me echt heel erg,' herhaalde ik, maar ze bleef het mosterdzaad maar stampen, waarschijnlijk om me niet te horen.

Het was duidelijk dat Sowmya er zich ongemakkelijk bij voelde. Ze ging naast mijn moeder op de grond zitten en zei zachtjes iets tegen haar. Ik kon niet horen wat ze zei, maar wat het ook was, het beviel mijn moeder helemaal niet.

'Bemoei je er niet mee,' grauwde ze. Meteen schoof Sowmya bij haar weg. 'Ze is mijn dochter en ze doet wat ik zeg.'

'*Akka,* ze blijft nog maar een paar dagen,' zei Sowmya. Maar haar Akka, mijn moeder, was niet in de stemming om naar haar te luisteren.

'Ze denkt dat ze maar kan zeggen wat haar op de tong ligt,' ratelde Ma. Haar handen zaten onder het zwarte mosterdpoeder. 'Ze woont in Amerika... Nou en? Net of wij daar zo van onder de indruk zijn.' Ze keek me aan en hield even op met stampen. 'Het maakt me niet uit. Als je geen respect voor me hebt... Per slot van rekening ben ik je moeder.' Ze sloeg weer aan het mosterdzaad vermorzelen.

'Maar dan moet je mij ook met respect behandelen,' zei ik zacht. Dat deed de deur dicht.

'Je bent te jong om mijn respect te verdienen, en je hebt tot nu toe ook niets gedaan om mijn respect te verdienen,' barstte ze los. 'Respect! Kinderen respecteren hun ouders... Zo zit dat. Je moet jezelf beter gedragen. Ik ben geen studiegenoot of vriendin dat je zo tegen me kunt praten.'

Daar gingen we weer... Mijn moeder wilde een model-

moeder zijn terwijl ik vond dat ik oud genoeg was om als gelijke te worden behandeld. Deze ruzie had zich al vaak afgespeeld in de twintig jaar dat ik bij haar in huis woonde.

'Ik zei toch dat het me speet, wat wil je nog meer?' vroeg ik geërgerd. Het klonk niet als een excuus, verre van dat.

'Je zegt altijd dat het je spijt, maar je doet het toch weer. Je meent er niks van.'

Weer werd ik kwaad. 'Dus ik ben slecht en brutaal, en ook nog een leugenaar?' reageerde ik kregelig.

'Priya, stil nou maar,' zei Sowmya. 'Maken jullie toch geen ruzie. Ze is hier maar zo kort, als jullie ruzie maken, komt ze misschien nooit meer terug.'

Mijn moeders ogen schoten vuur. 'Ze hoeft hier ook niet te komen. Ze bewijst ons daar heus geen gunst mee. Ze maakt het ons alleen maar moeilijk.' Ma liet het mosterdzaad met rust en richtte haar energie op mij. 'Ze is zevenentwintig en wil niet trouwen. Onze buren vragen er steeds naar en wat moet ik dan zeggen? Je maakt ons te schande, Priya. Je hebt nooit iets gedaan waar we trots op kunnen zijn. Dus als je niet meer terugkomt, maakt ons dat geen moer uit.'

Dat deed pijn.

Versuft liep ik de woonkamer uit. Ik kwam op de veranda en trok mijn sandalen aan, hing mijn tasje om mijn schouder en ging zo snel mogelijk weg bij het huis van mijn grootouders.

Geel en zwarte autoriksja's reden lawaaiig over de slecht geasfalteerde weg terwijl ik over het smerige trottoir liep. Ik moest om rottende bananenschillen en ander afval heen stappen. Een venter duwde een houten kar over de ongelijke stoep terwijl hij aankondigde dat hij verse koriander en spinazie te koop had. Ik liep langs hem heen. Ik bleef maar lopen. De straten zagen er bekend uit.

Ik wilde maar dat ik hier niet naartoe was gegaan. Ik knipperde mijn tranen weg. Ik wilde maar dat Nick er was, gewoon om te zeggen dat alles in orde was. Ik voelde me weer een klein meisje, bang dat haar mammie niet van haar houdt. En dat was ook zo, dat had ze net gezegd. Weer sprongen de tranen in mijn ogen.

Ik bleef staan voor een winkeltje waar ze paan en bidi's verkochten, en ook gekoelde frisdrank, sigaretten, kauwgum en verboden pornoblaadjes. Die zaten in plastic verpakt. Je kon niet zien wat erin stond, alleen af en toe een dij of een borst op de omslag. Een man zat achter de opening en keek me vragend aan.

'*Goli*-drank, *hai?*' vroeg ik.

'*Hau,*' reageerde de man trots met het accent van Hyderabad. 'Met een smaakje of puur?'

'Puur,' zei ik en ik legde een biljet van tien roepie neer.

De eerste keer dat ik goli had gedronken, was ik vijf. Ik weet nog dat ik met Jayant en Anand naar de film ging, een oude zwart-witfilm uit de jaren dertig, *Mayabazaar,* bazaar van illusies. Het was een Telugu-film en ik kijk er nog steeds graag naar als ik die te pakken kan krijgen. Het was een betoverende film, een obscuur verhaaltje uit de epische *Mahabharata.*

Ik had andere kinderen frisdrank zien drinken voordat

we de bioscoop in gingen, en ik wilde dat ook. Mijn moeder had gezegd dat ik in de bioscoop absoluut niets mocht eten of drinken omdat het eten en het water er niet goed waren, er bestond grote kans dat ik er ziek van zou worden.

De frisdrank zat in groene flesjes en het koolzuur werd door een knikker in de fles gehouden. Je maakte de fles met een rubber ding open waardoor de knikker er met een zuigend geluid af floepte. Als kind was het geluid van die knikker die van zijn plaats floepte en in de hals van het flesje belandde onweerstaanbaar, en ook het schuim dat op de drank ontstond.

Nadat ik een hele tijd had gezeurd gaf Jayant toe en kocht voor Anand en mij flesjes prik. Hij liet ons beloven dat we niemand zouden vertellen dat hij ons goli had laten drinken. Als we dat wel deden, zou hij dood neervallen. Helaas kwam het toch uit omdat Anand en ik buikloop kregen en dat kwam natuurlijk van die vieze goli.

Zodra de winkelier het flesje had geopend stak ik er gretig mijn hand naar uit. Ondanks de alarmbellen die in mijn hoofd afgingen zette ik het flesje aan mijn mond. Het zou wel erg treurig zijn als ik de rest van mijn verblijf hier ziek was.

'*Chee*, Priya,' riep Sowmya achter me. Ik maakte een sprongetje van schrik. 'Kun je niet een lekker koel drankje drinken? Waarom dat... chee vieze spul?'

Ik dronk het flesje leeg voordat ik iets terugzei. 'Het is lekker,' zei ik met een zucht.

'Twee *meetha* paan,' zei Sowmya tegen de winkelier.

Ik haalde geld uit mijn tasje. 'Kunnen we niet ergens gaan

zitten?' vroeg ik terwijl ik wachtte met de paan in mijn mond te stoppen en te genieten van de zoete smaak.

Sowmya keek om zich heen en wees naar een vervallen straat waar in de loop der jaren duizenden voeten en wielen doorheen waren gegaan. We sloegen die straat in en kwamen bij de tempel van Shiva die mijn familie vaak bezocht omdat die zo dichtbij was. We gingen op een betonnen bankje zitten waar nog resten van verkiezingsposters op geplakt zaten.

Luidruchtig kauwden we op onze paan. Het sap dreigde uit mijn mondhoeken te lopen en dan stond ik mooi voor aap.

'Bij de universiteit kon je heerlijke zoete paan krijgen,' zei ik. Ik herinnerde me mijn studietijd. 'En ook in Koti,' voegde ik eraan toe. 'Waar ze studieboeken verkopen.'

Sowmya lachte. 'Weet je nog dat we daar in jouw laatste jaar naartoe gingen en dat je te veel kokoswater dronk?'

'Hmm,' reageerde ik. Ik proefde het kokoswater weer. 'Waarom kunnen Ma en ik toch niet met elkaar opschieten? Ik neem me altijd voor mijn best te doen en dan... Achteraf gezien doe ik misschien niet echt mijn best. Ze behandelt me als een kind en dan ga ik me ook zo gedragen.'

'Misschien wil je het te graag,' zei Sowmya. Ze plukte een blaadje van de bougainville die naast het bankje groeide.

'Die zie je in Amerika niet veel,' zei ik terwijl ik naar de papierachtige paarse bloemen wees. 'Als ik bougainville zie, moet ik altijd denken aan het huis in Himayatnagar. Daar stonden er heel veel.'

'En je moeder liet ze weghalen toen ze een slang in de badkamer aantrof,' herinnerde Sowmya zich met een lach. 'Weet je nog hoe groot die slang was?'

Het was een dikke cobra die het was gelukt in de badkamer te komen. Ma had hem ontdekt toen wij met zijn allen tv zaten te kijken. We kregen allemaal kippenvel van haar gegil en even waren we te bang om de badkamer in te gaan waar het monster zich bevond waarover Ma zo'n stennis maakte.

'Hij richtte zijn kop op en blies,' had Ma hysterisch gegild, ook toen de slang allang gedood en verbrand was. 'Ze verstoppen zich in die struiken,' zei ze tegen Nanna. 'Die moeten allemaal weg.'

Dus verdween de bougainville, maar bij de deur liet Nanna er een paar staan. Ma zei altijd dat die ook weg hadden gemoeten. Stel dat er nog een cobra onder zat? 'Ze leven als paartje.' Ze bleef bang totdat we verhuisden naar het huis dat Ma en Nanna in Chikadpally hadden laten neerzetten.

'Er zijn wel fijne herinneringen,' zei ik tegen Sowmya. 'Die zijn er vast... Ik weet ze alleen niet meer. Wat Ma betreft herinner ik me niets leuks.'

'Soms heb ik dat ook,' zei Sowmya. Ze wreef meelevend over mijn arm. 'Zullen we in de tempel gaan kijken? Die is dicht, maar ze hebben een nieuwe *Shivaling*. Een hele mooie, van zwart marmer en verguldsel.'

In deze tempel waren verscheidene *puja's* verricht voor en door leden van mijn familie van moederskant. In de zeven jaar dat ik er niet was geweest, was er weinig veranderd. De dag voordat ik naar Bombay ging om de vlucht van twee uur 's middags naar Frankfurt te nemen en vandaar naar de Verenigde Staten, was Thatha met me naar deze tempel gegaan.

Thatha had toen een puja gedaan. Ik verstond niet veel van de woorden in het Sanskriet die de *pandit* mompelde, maar wel mijn eerste en laatste naam, en Thatha's familienaam. De pandit met zijn dikke hangbuik waarover de ceremoniële draad hing leek uit zijn humeur te zijn. Zijn stem klonk hees en tijdens de puja had hij een paar keer moeten hoesten. Thatha had de man uit mijn naam betaald.

'Om je te zegenen,' zei Thatha. Liefdevol aaide hij over mijn hoofd. 'Om je het beste te wensen tijdens je lange reis naar een nieuwe wereld.'

Het was die ochtend erg druk geweest. Het was nog pas acht uur en toch stonden de mensen in de rij voor een puja voor hun geliefde, hun auto, hun computer, hun kinderen enzovoort.

Thatha en ik hadden een beetje van de gewijde witte suiker genomen, *prasadam,* en een rustig plekje in de tuin voor de tempel gevonden waar we naar de mensen in hun fel gekleurde kleding konden kijken. Allemaal hadden ze een godvruchtig doel. Terwijl we de prasadam uit onze hand aten, smolt die in de hitte van mei en maakte onze handen plakkerig.

'Vergeet niet te bellen... vaak... als je daar geld voor hebt,' zei Thatha. 'En als je geld nodig hebt, als je echt krap bij kas zit, moet je ook bellen. Dan stuur ik je geld.'

Ik knikte. Ik had mezelf voorgenomen dat wanneer ik eenmaal het huis uit was, ik geen geld van mijn ouders of familie zou aannemen. Onafhankelijkheid was voor mij niet zomaar een woord. Ik wilde op eigen benen staan, niet me tot Thatha en Nanna wenden zodra het moeilijk werd, financieel of op ander gebied.

'Ik heb onderwijsbevoegdheid,' zei ik tegen Thatha. 'Misschien kan ik assistent worden. Ik vind wel iets... kan me niet schelen wat. Het komt wel goed.'

'Richt je op je studie,' zei Thatha streng. 'Neem geen minderwaardig baantje in een restaurant of zo. Gehoord?'

Ik wist toen al dat het geen zin had Thatha van standpunt te laten veranderen wat betreft baantjes die hij geschikt of ongeschikt voor iemand van onze kaste vond. Maar nu wilde ik hem overtuigen dat hij verkeerd zat met zijn oordeel over zwarten en blanken, over Amerikanen, huwelijken uit liefde en afgedwongen erfgenamen. Waarom was dat nu ineens belangrijk voor me terwijl ik het vroeger had begrepen?

Ik wist niet waarom ik was veranderd. Ik accepteerde Thatha niet meer zoals hij was, maar wilde hem veranderen.

'Kijk.' Sowmya wees naar een dikke gouden ketting bezet met diamanten die rond de Shivaling in de kooi in de tempel liep. 'Ze zeggen dat die een lakh roepies kost.'

'Zit hij daarom achter slot en grendel?' vroeg ik. Ik kon nauwelijks iets zien met die dicht bij elkaar staande tralies tussen ons en de goden.

'Och, je weet hoe mensen zijn, ze stelen alles, zelfs de sieraden van een god,' reageerde Sowmya. 'Het is nu rustig, maar over een paar uur is het hier druk. Zijn er in Amerika tempels? Ik weet dat er eentje in Pittsburgh staat, ze zeggen dat dat een grote tempel is. Daar trouwen alle Indiërs.'

Ik lachte. 'Ik denk niet dat álle Indiërs daar trouwen.

Maar ja, ik heb gehoord dat het een grote tempel is. In de Bay Area zijn er ook een paar. Er is een grote in Livermore en nog eentje in Sunnyvale, vlak bij waar ik werk.'

'Ga je daar vaak naartoe?'

Ik haalde mijn schouders op. 'Ik ben er een paar keer geweest... Ik heb er geen tijd voor, Sowmya.'

Ik zei er maar niet bij dat ik niet erg gelovig was. Ik ging niet naar de tempel omdat ik de noodzaak daarvan niet inzag.

'Ga je dan naar de kerk?' vroeg Sowmya. Die vraag overviel me.

'Hoe kom je daar nou bij?'

Sowmya haalde haar schouders op. 'Je moet toch ergens heen.'

'Nee.' Ik schudde mijn hoofd. 'Ik ga niet naar de kerk.'

'Ik dacht... Ik dacht dat je in dat opzicht misschien ook was veranderd,' zei Sowmya.

'Ben ik veranderd?' Ik dacht dat ik nog precies dezelfde was...

'Ja,' zei Sowmya. 'Je bent... sterker. Je komt veel meer voor je mening uit dan vroeger en je pikt niet meer alles van Thatha.'

Ik lachte zacht. 'Maar de verhouding met mijn moeder is nog steeds niet veel soeps.'

'Daar is niets aan te doen,' merkte Sowmya op. Met een klap sloeg ze haar handen in gebedshouding tegen elkaar. 'Misschien kan hij...' Ze wees naar de Shivaling met de gevouwen handen. 'Maar ik denk van niet.'

We lachten samen en toen pakte ze mijn hand en kneep erin. 'Ik ben zo blij dat je er bent, Priya. Ik heb je heel erg gemist.' Ze omhelsde me. 'Het is fijn weer op deze manier met iemand te kunnen praten,' zei ze met een zucht. 'Maar straks ben je weer weg.'

'Ik kom voortaan vaker,' beloofde ik impulsief. 'Of jij kunt bij mij op bezoek komen.'

Ze trok een gezicht. 'Ja, jouw Thatha wil dolgraag dat ik ongehuwd wereldreizen maak.'

'Misschien,' zei ik.

'Misschien,' zei zij. Ze duwde haar bril omhoog.

Ik zag deze wereld door mijn veramerikaniseerde bril. Deze wereld was voor mij nu heel anders dan vroeger. Sommige dingen kon ik beter zien, andere dingen waren onherkenbaar.

Thatha was mijn grote held niet meer omdat ik hem in een heel ander licht zag, een Amerikaans licht dat niet erg vriendelijk was voor mannen zoals Thatha. Ik was veranderd, dat was ik met Sowmya eens. Ik hoopte maar dat het een verbetering was.

⁓

Toen ik terugkwam, was Ma in een beter humeur. Ondanks de ruzies, de gekwetste gevoelens en de hitte ging het werk in Ammamma's inmaakfabriekje gewoon door.

Lata blafte bevelen en Ma vertelde Lata dat ze alles verkeerd deed. Dit voedsel werd niet met liefde bereid, maar met superioriteitsgevoelens.

Ammamma droeg ook haar steentje bij, maar niemand luisterde naar haar. We luisterden naar Ma en Lata, ik voelde me net een jojo, ik werd aangetrokken door degene die het hardst schreeuwde.

Voor de eerste keer drong het tot me door dat mango

inmaken een machtsspelletje was. Ammamma had al lang geleden moeten opgeven; mijn moeder was aan de winnende hand geweest, maar Lata had een *googlie* geworpen – een cricketbal met effect – door zwanger te worden om de oudjes een plezier te doen.

Lata en Ma deden een wedstrijdje en Neelima, Sowmya en ik waren de toeschouwers. Soms was Ammamma een partijdige scheidsrechter, soms probeerde ze haar glorietijd te doen herleven.

Mijn verhouding met iedereen hier had een barst opgelopen, maar vooral mijn verhouding tot mijn grootmoeder was oppervlakkig. Ammamma was een gevoel, een geur, een herinnering, niet echt een persoon. Ik wist niet veel van haar. Ik wist wie haar favoriete filmster was en naar welke film ze regelmatig keek sinds Thatha een videorecorder had gekocht, maar ik wist niet wat ze van haar leven vond, van het feit dat ze op een leeftijd van vijftien jaar haar eerste kind had gekregen.

Na de geboorte van Ma duurde het tien jaar voor Ammamma weer zwanger werd. Ik kon me alleen maar voorstellen hoe moeilijk die jaren voor haar moesten zijn geweest. Ze móést een zoon krijgen, vooral voor Thatha. Het moest een marteling zijn geweest om elke maand weer te wachten of ze ongesteld zou worden of niet.

De geboorte van Jayant was een wonder; dat zei iedereen tenminste. Daarna duurde het acht jaar voordat Ammamma weer zwanger werd, maar dat gaf niet, ze had al een zoon op de wereld gezet.

Anand werd geboren toen Ammamma tweeëndertig was. 'Ik dacht dat ik niet meer zwanger kon worden en hopla... Ineens kreeg ik een dikke buik. Jouw Thatha was

125

zo blij,' had ze me verteld, met een liefhebbende lach voor Anand.

Nadat Sowmya twee jaar later was geboren, kreeg Ammamma problemen met haar baarmoeder. Toen Sowmya een jaar oud was, werd er een tumor vastgesteld en onderging ze een hysterectomie.

Toen ik vijftien was, werd er bij Ma baarmoederhalskanker vastgesteld. Ma gaf de schuld aan die kwakzalver die haar de pil had voorgeschreven, maar Ammamma zei dat het erfelijk was. De Ma van Ammamma had het ook gehad.

'Dus moet je snel aan kinderen beginnen,' raadde Ammamma me altijd aan. 'Misschien maakt God jou ook onvruchtbaar en wat moet je dan nog?'

Voor Ammamma was het krijgen van kinderen een wapenfeit, iets waarop ze trots was. Hoe voelde ze zich nu al haar kinderen volwassen waren en geen acht sloegen op wat ze zei?

Ik had haar eens gevraagd hoe ze het vond dat ze zo jong was uitgehuwelijkt. 'Zo ging dat toen,' had ze geantwoord, maar ze vertelde me niet wat zíj ervan vond, ze accepteerde gewoon haar lot. Ik wist niets van haar gevoelens, ze was gewoon Ammamma, de vrouw die de hele dag op de bank zat en tv keek en paan kauwde.

Ik wist niets van haar.

En Ammamma wist ook niets van mij.

Ik keek naar de vrouwen in dit vertrek en vroeg me af of achter de maskers die we voor familieaangelegenheden opzetten onbekenden scholen.

Ik probeerde de lieve kleindochter te zijn die op bezoek was, maar mijn ware kleuren werden zichtbaar achter het masker. Ik was niet het vreemde aftreksel van mezelf waar ik mee voor de dag kwam. Misschien gleden de maskers van de anderen ook af. Misschien leerde ik eindelijk de vrouwen achter de maskers kennen, en zij mij.

Ik probeerde nog eens een gesprekje met Ma aan te knopen, maar ze negeerde me. Ik kwam tot de conclusie dat ze niet verder dan het etiket wilde kijken. *Dochter*. En ik mocht niet verder kijken dan haar etiket: *Ma*. Als zij me niet wilde laten zien wie ze was, hoe kon ik haar dan laten zien wie ik was?

⌒

'Dit gaat er gewoon bij?' vroeg ik met een wantrouwige blik op de kikkererwten die in water lagen te weken. Lata trok een gele emmer vol kruiden naar zich toe en mikte de kekers erin. Toen ze haar arm tot haar elleboog erin had, vroeg ze me de olie en de stukjes mango erbij te doen zodat ze alles kon mengen.

Lata maakte altijd de avakai van kikkererwten. Daar was Thatha dol op. Toen ik klein was, was de kruiderij voor mij nog te scherp. Thatha veegde de kekers af en legde ze op een rijtje, zodat ik ze van zijn bord kon pakken en oppeuzelen. Ma zei dan dat Thatha me veel te veel verwende, dat ik gekruid voedsel moest leren eten en niet van anderen moest pikken, maar Thatha en ik gingen er gewoon mee door.

Zelfs als volwassene kon ik geen al te gekruid voedsel eten. Wanneer Nick en ik in een Indiaas restaurant gingen eten, kon hij het gekruide eten beter verdragen dan ik.

'Wie is hier de Indiër?' vroeg Nick dan terwijl hij het

zweet van zijn voorhoofd wiste. Hij at gewoon door ook al transpireerde hij hevig. Maar ik at geen gekruid eten meer.

'Mijn moeder zou je graag mogen... Nou ja, je eetgewoonten,' zei ik tegen Nick. 'Zij vindt dat eten pas ergens op lijkt als de tranen je ervan in de ogen springen.'

Ma en Lata lieten ons als slavinnen de inmaakpotten uit de keuken halen. Sowmya en ik deden braaf wat ze wilden en haalden zes enorme glazen potten. Neelima sneed een mousselinen lap in flinke stukken. De inmaak werd in de potten gedaan en dan werd de lap erover gelegd en het deksel stevig vastgedraaid.

We werkten op de automatische piloot, we volgden braaf alle bevelen op en deden blindelings wat ons werd gezegd. De laatste pot werd gevuld toen Ammamma vond dat het tijd voor een gesprek werd. 'Zeg Priya, heb je veel Telugu-vrienden in Amerika?'

'Een paar.'

'Ze zeggen dat er in de Bay Area veel Indiërs wonen, vooral Telugu,' zei Lata terwijl ze met háár lepel háár pot vulde.

'Een paar,' zei ik gespannen.

'Vind je Telugu niet aardig?' vroeg Lata toen ik niet uitweidde.

'Dat zei ik niet,' wierp ik tegen.

Lata haalde haar schouders op. 'Mijn broer in Los Angeles zegt dat er Indiërs in Amerika zijn die liever niet met andere Indiërs omgaan. Ze blijven bij hen uit de buurt en worden alleen bevriend met blanken. Een schande!'

'Dat ben ik met je eens,' antwoordde ik met opgelegde ernst. 'Iemands ras mag geen rol spelen wanneer het om vriendschap gaat. Ik heb Amerikaanse vrienden en Indiase vrienden. Ik ken ook een paar Turken.'

Ammamma's ogen puilden uit. 'Wat? Heb je blanke vrienden? Zwarte vrienden?'

Ze had net zo goed kunnen zeggen dat ik met groene marsmannetjes bevriend was.

Ik staarde haar aan. Was ze echt zo stom of deed ze maar alsof?

'Hoe bedoelt u?' vroeg ik onzeker.

'Ze bedoelt dat je met die blanken niets gemeen hebt,' bemoeide Ma zich ermee. 'Je kunt je beter met je eigen soort bemoeien. Die blanken buiten je alleen maar uit.'

'Hoe weet jij dat nou?' verzuchtte ik. Eerst mijn grootmoeder en nu mijn moeder. Het zat in de familie, misschien was het genetisch bepaald.

'Ik ben vijftig en jij denkt dat ik nergens iets vanaf weet?' vloog Ma op. 'Ik weet genoeg en ik zeg dat je alleen met Indiërs moet omgaan, liefst van ons soort. Aardige brahmanen... Die staan altijd voor je klaar. Natuurlijk moet je met die andere lui werken, maar waarom zou je je vrije tijd aan hen besteden?'

Wat moest ik daar nou tegen inbrengen?

'Mijn vrienden zijn van verschillend ras en komen uit verschillende landen. Het kan me niet schelen waar ze vandaan komen. Als ze maar aardig zijn...' begon ik. Weer zo'n futiele onderneming.

'Blanken zijn niet aardig,' beweerde Ammamma nadrukkelijk. 'Kijk maar naar wat de Britten ons hebben aangedaan.'

Ik sloeg mijn blik ten hemel. Belachelijk dat mijn familie zo over het Westen dacht. Ma pronkte met haar doch-

ter in de Verenigde Staten, maar ze vond het maar niets
dat die dochter vriendschap sloot met mensen die geen
Indiër waren. Dat beloofde niet veel goeds wanneer ik
vanavond met mijn onthulling over Nick kwam.

Gelukkig werd het gesprek onderbroken omdat er buiten werd getoeterd. Ma vroeg me het hek open te doen.

Eindelijk was mijn vader er – de prettigste afleiding die
ik die dag had gehad.

⌒

To: Priya Rao <Priya—Rao@yyy.com>
From: Nicholas Collins <Nick—Collins@xxxx.com>
Subject: Re: Re: Re: Re: Goede reis?

Het klinkt of je het daar geweldig hebt! Ik ben blij dat je
je ten opzichte van mij niet schuldig voelt. Dat zou ik echt
heel rot hebben gevonden. Maar om antwoord op je
vraag te geven: nee, je hoeft je niet schuldig te voelen
omdat je een goede relatie hebt. Een relatie kun je van
tevoren niet plannen. Anders is het uithuwelijken en echt,
ik vind dat wel een beetje cru.
Je hebt hier in San Francisco een eigen leven met mij
opgebouwd, je bent niemand iets verschuldigd. Denk
daar goed aan. Ook al bepaalt je cultuur dat je je ouders
van alles verschuldigd bent, moet je ook bedenken dat
kinderen hun ouders niets verschuldigd zijn. Je bent je
(onze!) eigen kinderen liefde en loyaliteit schuldig, maar
zij zijn jou niets schuldig – en zo gaat het eeuwig
door.

Ik kom sterk in de verleiding een vlucht te boeken en je mee terug te nemen – als een echte krijger wil ik je ontvoeren. Ik weet best dat je heel goed voor jezelf kunt zorgen, maar ik weet ook dat je gekwetst zult worden.

Ik voel me zo machteloos hier. Ik zit hier maar te wachten terwijl je familie je te grazen neemt. Probeer alsjeblieft het hoofd koel te houden.

Bel me indien mogelijk, dan voelen we ons allebei vast veel beter.
Nick.

Deel 3

In de snelkookpan

Mango pappu

4 kopjes gele *gram pappu* (linzen)
8 kopjes water
2 rauwe, zure mango's
5-6 kerriebladeren
2 theelepels chilipoeder
zout naar smaak
2 eetlepels arachideolie
1 theelepel zwart mosterdzaad
3 gedroogde chilipepertjes
1 theelepel rode *gram pappu*
5 kerriebladeren
¼ kopje gesnipperde koriander

Week 4 kopjes gele *gram pappu* een half uur lang in 8 kopjes water. Snij de rauwe mango in kleine stukjes. Doe de mango, de gele *gram pappu* met het water, de kerriebladeren, het chilipoeder en een snufje zout in de snelkookpan en kook totdat de pan twee keer heeft gefloten. Verwarm de olie in een kleine koekenpan tot die zeer heet is. Voeg het mosterdzaad, de rode chili-pepertjes, de rode *gram pappu* en de kerriebladeren toe en laat dertig tot veertig seconden bakken (zorg dat de zaadjes of de bladeren niet verbranden). Meng meteen daarna de inhoud van de koekenpan door het mengsel in de snelkookpan. Garneren met de gesnipperde koriander. Warm opdienen met witte rijst.

Nanna's vriend, zoon van vriend

Nanna omhelsde me stevig zodra hij uit de auto kwam. Ik wist dat hij het niet prettig vond om bij Ammamma en Thatha op bezoek te gaan, maar hij was toch gekomen omdat hij anders nog dagen naar Ma's gezeur had moeten luisteren, misschien wel weken.

'Is het zo erg?' Hij grijnsde toen hij mijn strakke gezicht zag.

Ik schudde mijn hoofd. 'Erger nog.'

'Wat is er gaande?' vroeg hij. Hij ging op de schommel op de veranda zitten om zijn zwartleren schoenen uit te doen.

Sowmya kwam naar buiten en lachte naar hem. 'Koffie?'

Mijn vader knikte dankbaar, en Sowmya ging weer naar binnen.

Nanna was een lange, slanke man met een donkere huid. Van hem had ik mijn 'teint' waar Ma altijd over klaagde. Hij had een grijs snorretje. Zijn haar werd steeds witter, hij zag er knap en gedistingeerd uit. Ma probeerde hem over te halen net als zij zijn haar te verven, maar dat wilde hij niet. Hij zei dat zijn leeftijd geen probleem voor hem was. Ik denk dat hij het wel prettig vond om in de vijftig te zijn en dat hij graag zestig wilde worden.

'Er zijn nog geen doden gevallen?' vroeg hij. Met zijn blote voeten zette hij zich zacht af op de schommel.

Ik zat tegenover hem op een stoel en trok ondeugend een wenkbrauw op. 'Het is nog vroeg. Thatha is heel boos op me.'

'Thatha is altijd wel op iemand boos,' reageerde hij achteloos. 'Wat was er aan de hand?'

Mijn vader en mijn grootvader konden niet goed met elkaar opschieten. Ook al was Ma aan Nanna uitgehuwelijkt, toch had Thatha het nooit goed kunnen zetten dat zijn lievelingsdochter was getrouwd. Hij bleef het gevoel hebben dat zijn dochter hem was ontstolen.

'We hadden ruzie.' Ik moest het hem wel vertellen. 'Ze zeiden allemaal lelijke dingen over Amerika en toen kon ik me niet meer inhouden.'

Mijn vader zuchtte diep. Hij begreep dat het een lange avond zou worden.

'Ik werd kwaad,' ging ik verder. 'En toen zei ik dat het er in Amerika heel anders aan toe gaat dan hier... Dat daar niemand wordt gedwongen zwanger te worden om maar voor een mannelijke erfgenaam te zorgen.' Schaapachtig keek ik mijn vader aan. Ik wachtte op een standje.

Hij haalde zijn schouders op. 'Dat is ook zo.'

'Vind je?' Ik klaarde op.

'Maar je had hem dat niet moeten zeggen,' ging hij verder, en daarmee werd mijn hoop een medestander te hebben gevonden de grond in geboord. 'Hij is oud en star. Laat hem maar.'

'Laat wie maar?' Vanuit het huis hoorden we een bulderende stem en mijn vader en ik schrokken als twee misdadigers die op heterdaad betrapt worden.

Thatha kwam naar buiten in zijn witte *lungi*. De dunne draad die iedere brahmaan op zijn borst draagt, hing daar bij hem ook. Nanna, die niet erg godsdienstig was, verloor zijn draad altijd. Nate en ik hadden altijd pret wanneer Nanna overal naar die draad zocht wanneer hij bij Ammamma en Thatha op bezoek moest.

'Zolang ik mijn hemd niet uitdoe, kan die ouwe er niks van zeggen,' zei Nanna als hij de draad niet kon vinden.

Ook al mocht mijn vader Thatha niet, toch was hij altijd even beleefd en respectvol. Ik denk dat dat Thatha ergerde omdat hij eigenlijk niets op mijn vader kon aanmerken.

'*Namaskaram,*' zei Nanna en hij legde zijn handen tegen elkaar. 'Hoe is het met u?'

Thatha kwam met een ontevreden trek om zijn mond naast me zitten. 'Sowmya heeft binnen koffie voor je, Ashwin.'

Mijn vader keek me van achter zijn stalen brilletje met zijn vriendelijke ogen aan. 'Kom je koffie drinken met je oude vader, Priya?' vroeg hij om me te redden.

'Dank je,' zei ik met een dankbare lach. 'Als je het niet erg vindt, ga ik even met deze oude grootvader praten,' zei ik, en ik boog mijn hoofd voor Thatha.

'Ik hou er niet van dat mijn kleindochter in mijn huis haar stem tegen me verheft,' begon Thatha zodra mijn vader naar binnen was gegaan. 'Ik vind wat ik vind en daar brengt niemand me vanaf.'

Ik staarde naar de witte doek die om zijn heupen zat gewikkeld en vroeg me af waarom mannen uit het zuiden van India zoiets nog steeds droegen. Het was heerlijk in de zomer, maar toch, het was niet meer dan een lap om je benen. Eronder werd geen ondergoed gedragen. Eén verkeerde beweging en alles werd vertoond. Omdat mannen in het zuiden van India een voorliefde voor lungi's hadden, had ik al heel wat geslachtsdelen gezien.

'Luister je?' vroeg Thatha bars.

'Ik luister,' antwoordde ik een beetje brutaal. 'Maar zo ben ik niet opgevoed, om stilletjes te blijven zwijgen wanneer iemand onterecht–'

'Je bent niet opgevoed om je stem te verheffen in aanwezigheid van mensen die ouder zijn dan jij,' viel Thatha me in de rede.

'Nou ja, sommige dingen die Ma en Nanna me hebben bijgebracht, zijn niet blijven hangen,' reageerde ik schouderophalend. 'Kom op, Thatha, wat dacht u nou? Dat ik een verlegen meisje was? Dat ben ik niet... Dat weet u ook wel.'

Thatha nam mijn hand in de zijne en knikte. 'Nee, je bent altijd al opvliegend geweest. Geen goede eigenschap voor een meisje... Ook niet voor een meisje dat net uit Amerika komt.'

'Het spijt me dat ik zo tegen u schreeuwde, maar die opmerking over mannelijke erfgenamen, daar heb ik geen spijt van.' Dat was een compromis. Als de bejaarde man mij tegemoetkwam, kwam ik hem tegemoet.

'Ik moet een mannelijke erfgenaam hebben. Ik dacht dat de discussie al was gesloten,' zei hij.

'U begon er weer over.' Ik zuchtte en besloot het goed te maken, want ik had me niet erg best gedragen. 'Thatha, soms ben ik het met u oneens en soms ben ik het met de hele familie oneens. Dat weet u, en het maakt niet uit want ik hou toch van iedereen en ook van u. Maar dat wil niet zeggen dat ik altijd maar ja en amen zeg als ik het ergens niet mee eens ben.'

Dat scheen hij te begrijpen. Ik denk dat het vooral die opmerking over 'houden van' was die hem beviel. Hij wreef over mijn hand en stond toen op. 'Het geeft niet. Kom binnen koffie drinken.'

En meteen had Thatha me alles vergeven.

Had hij me vergeven? Wat had ik dan gedaan dat hij me moest vergeven?

⤳

De zon ging al onder, die zakte loom en langzaam naar de horizon terwijl wij de potten met inmaak in de bijkeuken opruimden.

'Priya, ik moet nog koriander en *kadipatha* voor het avondeten kopen. Loop je met me mee?' vroeg Nanna. Zoals gewoonlijk had hij een excuus gevonden om even uit Thatha's huis te ontsnappen.

'Ashwin-*garu*, we hebben niet echt kerriebladeren nodig en ik kan heel goed zonder koriander,' zei Sowmya die bang was dat het een last voor mijn vader betekende.

Ma keek eerst mij streng aan en toen Sowmya. 'Laat ze maar gaan. Ga maar met je vader mee, Priya.'

Ik trok mijn wenkbrauw op en keek mijn vader nieuwsgierig aan. 'Wat is er aan de hand?'

'We moeten kadipatha hebben. *Rasam* zonder kadipatha... Dat is net zoiets als de Verenigde Staten zonder vrijheidsbeeld,' zei Nanna. 'Kom, Priya,' moedigde hij me aan terwijl hij zijn voeten in Anands leren sandalen stak. Die lagen in het schoenenrek op de veranda.

Voordat iemand er nog iets tegen kon inbrengen, waren Nanna en ik het huis al uit.

'Ligt het aan mij of is het daar binnen benauwd?' vroeg Nanna. Hij haalde diep adem.

'Waarschijnlijk ligt het aan jou,' zei ik. Ik liet mijn hand in de zijne glijden. 'Denk je dat we *ganna*-sap kunnen kopen?'

'Dan word je maar misselijk,' waarschuwde Nanna. 'Maar als je het niet erg vindt dat je moet overgeven en de rest van je verblijf hier buikpijn hebt, moet je dat vooral doen.'

'Ik word niet misselijk en ik heb vanmiddag al goli-fris-drank gedronken. Vanmorgen kon ik de mango niet eten die Ma wilde dat ik proefde, maar daar heb ik me nu overheen gezet. Het maakt me niet meer uit dat iets on-hygiënisch is,' zei ik.

'Laten we dan maar hopen dat je niet ziek wordt,' zei Nanna en hij kneep in mijn hand.

'Waarom wilde Ma dat we weggingen?' vroeg ik.

'Ik heb geen idee waarom je moeder wil wat ze wil dat we doen. Dat is al negenentwintig jaar een mysterie,' ant-woordde Nanna. 'En je mag ganna-sap, maar zonder ijs.'

Een van de verboden dingen die ik graag doe en waar-voor Ma me had gewaarschuwd, was het eten van *chaat*, gekruid eten, aan een kraampje en het drinken van sui-kerrietsap. Tentjes waar je het sap van suikerriet kon kopen stonden overal in Hyderabad en in de zomer waren ze zeer in trek. Lange stukken suikerriet lagen op houten kraampjes naast een roestvrijstalen persapparaat. Dat apparaat had twee grote raderen met punten die tegen elkaar aan kwamen. Het suikerriet werd er met een stukje citroen en een stukje gember doorgehaald en uitgeknepen. De verkoper deed de stengel er een eerste keer door, daarna vouwde hij de geplette stengel om die nog eens langs de raderen te sturen.

Het sap werd in glazen geschonken die waarschijnlijk niet in schoon water waren omgespoeld en er hoorden veel ijsblokjes bij. Na een lange dag op de hogeschool dronk ik dat het liefst. Meestal stonden de kraampjes met suikerriet en chaat bij een bushalte. Dus terwijl ik op de bus wachtte, kocht ik voor twee roepie ganna-sap. Ik vroeg de verkoper altijd geen ijs in mijn glas te doen. Ik dacht dat ik dan meer sap kreeg, en ik hoefde me ook niet af te vragen waar het ijs vandaan kwam. Ze zeiden dat de verkopers dat bij het lijkenhuis haalden.

'Goed, geen ijs,' gaf ik toe. 'Nog iets van Nate gehoord?'

'Nee, Nate laat nooit iets van zich horen,' zei Nanna. 'Misschien dat hij morgen terugkomt, maar ik denk niet dat hij hier zal komen. Je weet dat hij Lata en Jayant niet kan uitstaan.'

Ik haalde mijn schouders op.

'Volgens mij heeft Nate een vriendin,' ging Nanna verder. Ik bleef pardoes staan. 'Wat nu weer?' vroeg Nanna. 'Kom, laten we verder gaan, we moeten die kadipatha kopen.'

Ik zuchtte.

'Dus u denkt dat Nate een vriendin heeft?' vroeg ik.

'Heeft hij daar tegen jou iets over gezegd?' vroeg Nanna. We waren nu bij het groentekraampje op de hoek van de straat van Thatha's huis.

Ik keek naar de groenten die er aan het einde van de dag in hun strooien mandjes een beetje verlept uitzagen en pakte een bosje kadipatha. Er waren nog meer mensen die groenten voor het laatste maal van die dag kochten.

'Dat ziet er verlept uit,' zei ik over de koriander die mijn vader vasthield.

'Het is goed genoeg,' zei Nanna. Hij legde de kadipatha en de koriander voor de verkoper neer en betaalde met tien roepie die hij uit zijn oude, bruinleren portemonnee viste.

'Gebruik je die portemonnee nog?' vroeg ik. 'En niet die ik je vorig jaar voor je verjaardag heb gestuurd?'

'Die heeft Nate,' zei Nanna. 'En deze is nog prima. Maar eh... zei Nate nog iets over een vriendin?'

'Nee,' loog ik gladjes. 'Hoezo?'

'Nou, wij hopen dat Nate en jij... Dat onze kinderen weten dat we openstaan voor de waarheid,' zei Nanna. Hij was zo subtiel als de chilipoeder die Ma bij de inmaak gebruikte.

'O ja?' reageerde ik. We liepen naar het kraampje met suikerriet naast het groentestalletje.

'En, eh... Heb jij een vriend?' vroeg Nanna.

Ik negeerde die vraag.

De ondergaande zon gaf nog licht, het zou nog even duren voordat het donker werd, en trouwens, 's zomers werd het nooit echt donker. De lucht bleef altijd een beetje blauw, zelfs in het holst van de nacht.

'Amma, sap?' vroeg de verkoper van suikerrietsap. Hij hield een glas op, gevuld met schuimend groenbruin sap.

'Nee, nee,' zei Nanna. 'Zonder ijs. Twee glazen. En was die goed af.'

Alsof afwassen verschil maakte... De bacteriën kregen we gewoon met het sap naar binnen. Ik wist dat ik het niet moest drinken, maar de verleiding was te groot, net als bij de goli. Ik proefde het zoete sap al. De herinneringen kwamen terug en mijn smaakpapillen reageerden daarop. De verleiding was onweerstaanbaar.

'Meer gember,' zei ik tegen de verkoper toen hij aan de slag ging.

'Nou?' vroeg Nanna.

'Nou wat?' ontweek ik de vraag.

Nanna maakte een geërgerd geluid.

'Wilde Ma daarom dat ik met je mee ging?' vroeg ik op de man af.

'Niet van onderwerp veranderen,' zei Nanna. 'Vertel alleen maar of je een vriend hebt. In dat geval accepteren we dat... Ik bedoel natuurlijk, we accepteren het als hij een geschikte partij is.'

'En als hij een... een *sardar* is?'

'Een sardar?' vroeg Nanna. Ik hoorde aan zijn stem dat hij schrok. 'Kom op, Priya, doe even gewoon.'

Ik zuchtte eens. Een sikh was in ieder geval een Indiër.

'Dus je accepteert mijn vriend, wie of wat hij ook is?'

'Ja, natuurlijk,' zei Nanna snel. 'Ik bedoel... Je zou ons op zijn minst kunnen vertellen waarom je het steeds uitstelt. Je bent al zevenentwintig, we zouden graag willen dat je trouwde. We willen met onze kleinkinderen spelen.'

Nanna was dol op kinderen. Toen hij ons huis liet bouwen, stond hij erop dat de grendel aan de buitenkant van de badkamer laag werd geplaatst zodat zijn kleinkinderen er zelf in konden, en dat de grendel binnen hoog werd geplaatst zodat ze zich niet konden insluiten.

Hij had ook een prachtige schommelstoel gekocht. 'Baby's huilen nu eenmaal en als je met de baby in een schommelstoel gaat zitten, vallen ze in slaap,' zei hij vaak.

Hij wachtte al zolang ik me kon herinneren op kleinkinderen. Ik voelde me schuldig omdat ik nog geen plannen had om kinderen te krijgen. Ik wist dat ik ooit kinderen wilde, maar dat was iets voor de verre toekomst, net zoiets als een ruimtereis willen maken.

'Nanna, ik trouw als ik daar klaar voor ben,' zei ik, bang hem over Nick te vertellen. Als hij van een sardar al hartkloppingen kreeg, was een Amerikaan goed voor een rolberoerte.

'Maar ooit moet je daar toch klaar voor zijn, Priya,' zei Nanna vermoeid. Hij gaf de verkoper vijftien roepie en pakte een glas schuimend sap.

Ik nam voorzichtig een slokje en slaakte een zucht van genot. 'Dit mis ik nou. Dit, en chaat.'

Nanna dronk zijn glas in twee slokken leeg en zette het glas weer neer. 'We gaan geen chaat eten. Sowmya kookt heerlijk. Ze maakt je lievelingseten, mango pappu.'

Langzaam dronk ik mijn ganna-sap op, ik genoot er tot het laatste slokje van. Toen we terugliepen wachtte ik zwijgend op wat Nanna nog meer tegen me wilde zeggen voordat we bij Thatha's huis waren.

'We blijven morgen hier. Ik heb een dagje vrij genomen,' zei hij boven het lawaai van de toeterende auto's uit. Hij moest om het afval op straat heen lopen.

'Weet ik, ik heb schone kleren meegenomen. Ik wil vannacht op het terras slapen, net als toen Nate en ik nog klein waren,' zei ik.

Nanna hield mijn hand stevig vast. In de andere hand hield hij een plastic tasje met de koriander en de kerriebladeren.

'Herinner je je oom Mahadevan nog?'

Oom Mahadevan was een van Nanna's vrienden. Het was bij ons de gewoonte om de vrienden en vriendinnen van mijn ouders oom en tante te noemen, ik weet ook niet waarom. Ik vond het dan ook heel moeilijk om Nicks moeder Frances bij haar voornaam te noemen omdat ze veel ouder was dan ik. Ik vond het niet van respect getuigen om haar bij de voornaam te noemen.

'Natuurlijk herinner ik me oom Mahadevan nog. Hij heeft toch twee zonen?'

'Ja, en die zijn allebei getrouwd,' zei Nanna. Hij kneep nog harder in mijn hand. 'Oom Mahadevan heeft een vriend. Die heet... Nou ja, iedereen noemt hem Rijst Sarma.'

'Rijst? Waarom?'

Hij werkt bij ICRISAT, hij doet belangrijk onderzoek naar rijst. Hij heeft prijzen gewonnen, de president zelf heeft hem er vorig jaar nog een uitgereikt,' ging Nanna verder. 'Het zijn goede mensen.'

'Hmm.' Meer zei ik niet, ik wist waartoe dit zou leiden.

'Rijst Sarma heeft een zoon,' zei Nanna. Hij wachtte op een reactie. Toen die niet kwam, zei hij: 'Hij heet Adarsh. We hebben foto's van hem gezien. Knappe jongen. Hij woont in Dallas, hij werkt bij Nortel Networks. Is dat een degelijk bedrijf?'

'Ja,' antwoordde ik gespannen.

'Hij is daar de manager,' zei Nanna. 'Hij heeft aan BITS Pilani gestudeerd.'

BITS Pilani was een heel goede technische hogeschool en ik begreep waarom mijn vader daar zo'n nadruk op legde. Hij kwam met de ideale bruidegom aanzetten. De moed zonk me in de schoenen. Hoe kon ik hier onderuit zonder hem over Nick te vertellen? Ik móést hem nu wel over Nick vertellen.

'O.'

'Hij heeft zijn doctoraal aan de MIT behaald en hij heeft ook nog een MBA van Stanford,' zei Nanna. Hij keek nauwlettend naar me, hij wachtte op een reactie.

'Indrukwekkend,' zei ik. Grote goden, wat nu? Straks vertelde hij me nog dat het een adonis van een meter vijf-entachtig was...

'Hij is een meter vijfentachtig,' ging Nanna verder, alsof hij wist wat ik dacht. 'Je moeder vindt dat hij op die film-ster lijkt, Venkatesh.'

Venkatesh was een acteur die in Telugu-films speelde. Zeven jaar geleden was ik dol op hem. Sinds ik uit India was vertrokken had ik nooit meer een film van hem ge-zien, maar ik was onder de indruk van het feit dat Ma hem als lokkertje gebruikte.

'Nou en?' Ik deed net of ik niet begreep waar hij naar-toe wilde.

'We hebben hem jouw foto laten zien–'

'Wat?' Ik rukte mijn hand los en keek hem aan. We stonden voor Thatha's hek, ik boos, hij schuldbewust.

'Nou, wat moeten we anders? Wachten tot je vijftig bent voordat je gaat trouwen?' Nanna ging in de aanval, hoewel hij verdedigend keek.

'Hij klinkt perfect. Misschien moet Ma maar met hem trouwen,' grapte ik.

Nanna zette het hek open. 'Hij is hier met vakantie. Morgenmiddag komen ze hier voor de thee.'

Ik staarde mijn vader aan. 'Ik doe niet mee met zo'n veemarkt.'

'Je bent niet op de veemarkt. Overdrijf niet zo.'

'Overdrijven? Zijn familie komt... Daarom heeft Ma mijn zijden blouse ingepakt! Verdomme, Nanna, je wíst dit. Dit komt niet ineens uit de lucht vallen. Je wist het al toen ik aankwam.' Ik was ontzet dat mijn vader het spelletje van Ma had meegespeeld.

'Niet vloeken,' zei Nanna. Hij haalde zijn schouders op. 'Zoals ik al zei, we kunnen... we wíllen niet wachten tot je vijftig bent.'

'Ik ga me niet door hem en zijn familie laten keuren alsof ik een koe ben,' reageerde ik op scherpe toon.

'Zo gaat het niet, Priya,' probeerde mijn vader me gerust te stellen.

Ik liep langs hem heen en kwam bij het huis. Op de veranda schopte ik mijn sandalen uit en ik ging naar binnen. Ik kon nauwelijks Jayant begroeten die was gekomen toen mijn vader me een dolkstoot in de rug gaf.

'Morgenmiddag ben ik er niet,' zei ik tegen mijn moeder. Ze zat op de grond tegen een kussen geleund, ik torende boven haar uit, met mijn handen in mijn zij.

'O jawel,' zei Ma. 'Met dat soort streken moet je bij mij niet aankomen. Je vader tolereert dat, maar–'

'O nee? En wat was u dan van plan te doen als ik morgenmiddag wegga wanneer de vriend van de vriend van Nanna met zijn o zo ideale zoon komt?' vroeg ik.

'Priya,' zei Thatha bars, 'rustig nou maar. Geen geschreeuw in mijn huis. Ga liever Sowmya helpen in de keuken.'

Ik wilde bijna losbarsten, maar ik hield mezelf in de hand. Dit was niet het moment om mijn feministische ideeën te spuien.

Ik had o zo graag willen zeggen wat ik ervan vond, maar ik wilde me niet als een kind gedragen. Dat zou alleen maar bewijzen dat ik niet goed voor mezelf kon zorgen en dus ook niet zelf een partner kon vinden.

'Je had het me moeten vragen voordat je hen uitnodigde,' zei ik zachtjes tegen Ma. Weer haalde ze haar schouders op, toen keek ze weg.

Het lag op het puntje van mijn tong haar te zeggen dat dit nu precies was waarom ik geen respect voor haar kon hebben. Respect moest van twee kanten komen en als zij geen respect voor mij had, kon ik dat niet voor haar hebben. Ik voelde me verraden, zowel door mijn ouders als door mijn grootouders – door mijn hele familie. Ik liep de kamer uit.

In de keuken weekte Sowmya de linzen voor de mango pappu.

'Kan ik iets doen?' vroeg ik zuur.

Ze lachte naar me. 'Wil jij de mango schillen? Ik moet de aardappels voor de curry snijden,' zei ze. Ze gaf me een mesje en twee groene mango's.

Ik ging aan de ene kant van de gootsteen staan en zij aan de andere. We bewerkten onze groente en fruit.

'Ze hebben een *pelli-chupulu* voor me geregeld,' merkte ik verbitterd op.

Sowmya knikte. 'Radha Akka vertelde ons dat toen jij naar het groentestalletje was.'

'Hoe kúnnen ze!'

'Kom op, hij klinkt goed. Morgenavond komt er iemand voor mij, een docent aan een privé-school. Hij lijkt op Brahmanandam, niet op Venkatesh,' zei Sowmya met een brede grijns.

Brahmanandam was een acteur die komische rollen in Telugu-films speelde. Hij maakte iedereen aan het lachen, maar qua uiterlijk was hij niet om over naar huis te schrijven.

'Daar gaat het niet om,' zei ik.

'Dacht je dat je te oud was voor een pelli-chupulu? Dat alleen meisjes als ik die moeten doorstaan?' vroeg ze zacht.

Ik sperde mijn ogen wijd open en stond op het punt dat te ontkennen. Maar ze had gelijk. Dat was precies wat ik had gedacht.

Ik wilde iets zeggen om het goed te maken, en toen flapte ik het er ineens uit. Ik wilde dat Sowmya zich minder rot voelde over al haar pelli-chupulu's, ik wilde niet dat ze dacht dat ik mezelf boven haar verheven voelde.

'Ik heb een vriend... Ik ben verloofd,' flapte ik eruit.

'Wat?' De aardappel viel uit Sowmya's hand en rolde in de gootsteen. Ze pakte die gauw op en staarde me door haar uitgeslagen jampotglazen aan.

'Ja,' zei ik. Ik had nu al iets verteld, ik kon nu net zo goed alles opbiechten. 'Een Amerikaan.'

'Je vader vermoordt je nog, en anders doet Thatha dat wel,' zei Sowmya. Ze drukte het schilmesje tegen haar borst. 'Wanneer... Hoe... Priya! Waar ben je mee bezig?'

'Hij is heel aardig. Ik hou van hem,' zei ik. Het klonk als een cliché, ook in mijn oren. 'Ik heb het niet zo gepland.' Weer zo'n cliché. 'Het gebeurde gewoon.' Het leek wel of er alleen clichés uit mijn mond kwamen.

'Nee Priya. Dat kun je ons niet aandoen. Dat met Anand was al erg genoeg, maar hier gaan je Thatha en je vader aan onderdoor,' zei Sowmya.

'Wat moet ik dan? Moet ik Nick laten stikken en met een man trouwen die mijn ouders voor me hebben uitgezocht?' vroeg ik.

'Ja,' zei Sowmya zonder een spoor van aarzeling. 'Zo gaat dat bij ons.'

'Och, hou toch op!' zei ik. Ik smeet een rauwe mango op het aanrecht.

'Wat ga je nu doen?' vroeg Sowmya. Ze pakte de mango en keek of die beurse plekken had gekregen.

'Dat weet ik niet,' moest ik toegeven. Ik stond op het punt in tranen uit te barsten.

⁓

To: Nicholas Collins <Nick—Collins@xxxx.com>
From: Priya Rao <Priya—Rao@yyyy.com>
Subject: Re: Re: Re: Re: Re: Goede reis?

Je gelooft het niet, maar morgenmiddag komt er een aardige Indiase jongen om me te keuren. Allemachtig! Hoe durven mijn ouders me dat aan te doen, Nick? Het is zo vernederend. Ze verwachten dat ik aan dit barbaarse ritueel meedoe waarbij een man komt kijken of ik hem wel waard ben.

Het doet vooral pijn dat mijn vader in het complot zit. Van mijn moeder verwachtte ik zoiets wel, maar van Nanna... Ik dacht dat hij aan mijn kant stond.

Ik probeer je zo gauw mogelijk te bellen. Maar maak je geen zorgen. Het is alleen... Verdomme! Ik ben nog nooit zo kwaad geweest. Ik moet ze nu wel over jou vertellen, voordat het uit de hand loopt met die Indiase jongen van wie ze vinden dat hij zo goed bij me past.

Ik wilde maar dat ik niet hier was. Ik wil thuis zijn. Ik wilde dat mijn ouders meer om mij gaven dan om wat de buren zouden zeggen.

Priya

To: Priya Rao <Priya—Rao@yyyy.com>
From: Nicholas Collins <Nick—Collins@xxxx.com>
Subject: Re: Re: Re: Re: Re: Re: Goede reis?

Lieverd, het spijt me voor je. Maar zoiets verwachtte je toch al?

Ik wil niet vervelend zijn (je klinkt nogal melodramatisch) maar ik weet zeker dat je ouders meer om jou geven dan om wat de buren zouden zeggen. En je vader, ach, hij kan er ook niets aan doen. Hij wil zijn dochter graag getrouwd zien en hij wil kleinkinderen. Hij weet niet dat je met een knappe Amerikaan bent verloofd, hij doet gewoon zijn best.

Ik weet dat het moeilijk is je familie iets te vertellen wat ze niet willen horen, en als je het te moeilijk vindt, laat dan

maar. Trouw alleen niet met een Indiase jongen terwijl ik
hier duimen zit te draaien, alsjeblieft. We hebben samen
een hypotheek afgesloten! In Silicon Valley telt dat als een
huwelijk!!!

Ik vind het prima als je niets over ons wilt vertellen. Doe
maar rustig aan. Ik wil niet dat je een maagzweer van de
stress krijgt. Doe maar wat je goeddunkt.

Pas goed op jezelf, lieverd, en bel me.
Nick

Bekentenissen en leugens

Anand vond ik een van mijn aardigste familieleden. Hij was vijf jaar ouder dan ik en we hadden heel wat zomers samen doorgebracht in het huis van Thatha's broer in ons dorp bij Kavali.

De laatste zomer daar hadden we een echt avontuur beleefd. Thatha's broer had geprobeerd de dief te pakken te krijgen die mango's uit zijn boomgaard stal, en wij vonden dat we niet onderdeden voor De Vijf uit de bekende boeken van Enid Blyton. Anand was dertien, Sowmya elf en ik was al acht. We vonden dat wij De Drie konden zijn.

Thatha's broer vertelde spannende verhalen, daarom noemden we hem Verhalen-grootvader, *Kathalu-Thatha*. We zaten allemaal rond het vuur en Kathalu-Thatha vertelde over een geest die in de oude put woonde in het midden van het veld met suikerriet, of over de oude, oude man in het hutje naast de beek aan het eind van het dorp, of de tijger die alleen in de nacht kwam om stoute kinderen te halen. Van sommige verhalen werden we bang, om andere moesten we lachen. Maar door die verhalen werd een hechte band met Kathalu-Thatha geschapen. Mijn herinneringen aan het met warme melk in zilveren bekers rond het vuur zitten terwijl Kathalu-Thatha sterke verhalen opdiste, verwarmen me vanbinnen.

⁓

Zodra Anand me zag, omhelsde hij me. 'Wat is het lang geleden, Priya,' zei hij. 'En nu ben je volwassen.'

'Volwassen en ongehuwd,' mopperde Ma achter ons. 'En ze gaat tekeer als een verwende kleuter.'

Ik zuchtte eens.

'Laat maar, Akka,' zei Sowmya. Ze stopte de zoom van haar sari bij haar middel in. 'Brengen jullie de mango's naar beneden, dan maak ik thee voor Anand.'

Dat was een mogelijkheid om te ontsnappen die Anand en ik met beide handen aangrepen.

'Ik hoor dat er morgen een jongen voor je komt,' zei Anand terwijl we de trap op liepen. 'Twee jongens op één dag... Mijn moeder moet zich in de hemel wanen.'

'Ja,' reageerde ik sarcastisch. 'Eén voor mij en één voor Sowmya. Net een veemarkt.'

'Och, zo erg is het niet,' zei Anand en hij wreef over mijn schouder.

'En dat zegt de man die verliefd werd en stiekem trouwde,' merkte ik op. 'Er is trouwens nog meer groot nieuws.'

Anand lachte van oor tot oor. 'Ongelooflijk, hè? Echt ongelooflijk. Ik word vader!'

Lachend knikte ik. Inderdaad, het was ongelooflijk dat de Anand die een hele nacht in een mangoboom op Kathalu-Thatha's mangodief had zitten wachten, vader werd.

'Ik dacht aan onze laatste zomer bij Kathalu-Thatha,'

zei ik terwijl we de mousselinen doek opvouwden waarin de gedroogde en rimpelige stukjes mango lagen.

'O ja,' zei Anand terwijl hij het litteken boven zijn linkeroog aanraakte. 'Daarna mocht ik daar van Amma niet meer heen.'

Het was laat. Sowmya en ik hielden de wacht bij het verre eind van de boomgaard, we wachtten op de dief. We waren uit het huis geslopen, vastberaden de dief te vangen en indruk op Kathalu-Thatha te maken. Sowmya durfde niet goed, maar Anand en ik hadden haar overgehaald. Ze wilde geen spelbreker zijn en was toch meegegaan, met een diepe frons op haar voorhoofd.

Anand was de uitkijk, hij zat met een zaklantaarn in de mangoboom. 'Daar kan ik verder kijken,' zei hij.

Het kwam als een verrassing dat de dief een aapje bleek te zijn. De aap werd bang toen Anand met de zaklantaarn in zijn ogen scheen en het dier viel Anand aan. Anand viel uit de boom en stootte zijn hoofd tegen een steen. De scherpe punt miste maar net zijn linkeroog.

Sowmya en ik werden doodsbang en schreeuwden luidkeels om hulp, echte meisjes.

De volgende morgen werd ons de mantel duchtig uitgeveegd. Helaas was dat de laatste keer dat we daar in de zomervakantie waren. Kathalu-Thatha stierf die winter en Thatha verkocht het huis en verhuurde de boomgaard aan een fabriek die jams en vruchtensappen vervaardigde.

Nadat we de twee mousselinen doeken met de mango's hadden gevouwen, keek Anand schichtig om zich heen en haalde een pakje sigaretten te voorschijn. 'Niemand vertellen, hoor,' zei hij. 'Als Nanna erachter komt... dan vermoordt hij me.'

Een volwassen man die op het punt stond vader te worden, bang voor zíjn vader.

Ik schudde mijn hoofd. 'Als je maar niet rookt als Neelima in de buurt is.'

'Natuurlijk niet,' zei Anand. Hij ging op de grond zitten, leunde tegen de balustrade en slaakte een zucht. 'Hier wacht ik de hele dag al op.'

'Neelima is niet erg blij en gelukkig,' zei ik op de man af. 'Je stuurt haar steeds maar hier naartoe, en dat terwijl ze rot tegen haar doen.'

'Ze moeten haar gewoon leren kennen... Je weet hoe ze zijn tegen een nieuw gezicht. Weet je nog hoe mijn Amma en jouw Amma Lata behandelden toen zij en Jayant *Anna* trouwden?' vroeg hij.

'Lata en Neelima lijken totaal niet op elkaar,' hielp ik hem herinneren. 'Neelima is doodongelukkig, Anand.'

'Dan zou ze me dat toch wel vertellen?' reageerde Anand. Hij keek omhoog naar de hemel. 'Zie je daar *Saptarishi?*' vroeg hij. Hij wees naar een sterrenbeeld dat uit zeven sterren in de vorm van een vraagteken bestond. 'Ik heb Arundhati heel lang niet gezien,' zei hij.

De Saptarishi waren de zeven *Maharishi's,* heilige mannen die door het visioen van Brahma waren geschapen. Het waren geleerde wezens aan wie de *Veda's* waren geopenbaard, ze stonden voor de zeven levenskrachten en het bewustzijn van de schepping. De zeven *rishi's* waren met mooie vrouwen getrouwd en een keer toen ze de *yajna* gaven, zag Agni, de god van het vuur, de vrouwen. Meteen begeerde hij hen. Agni's vriendin Svaha wilde haar minnaar een plezier doen en in bed nam ze de gedaante van de vrouwen aan. Maar dat lukte haar maar bij zes van hen. Arundhati was zo trouw dat Svaha haar lichaam niet in dat van Arundhati kon veranderen, ook al deed ze nog zo haar best. Door al dat veranderen en al dat vrijen werd Svaha zwanger, en het gerucht deed in goddelijke kringen de ronde dat een van de vrouwen van de Maharishi's een kind van Agni had gekregen. Alle rishi's zetten hun vrouwen wegens overspel de deur uit, behalve Vashishtha die met de trouwe Arundhati was getrouwd.

In het sterrenbeeld Saptarishi is de een na onderste ster Vashishtha, en daaromheen draait een kleine ster. Dat is Arundhati. Er wordt gezegd dat als je Arundhati niet kunt zien, dat rampspoed betekent. Veel rampspoed.

'En kun je die nu wel zien?' vroeg ik. Zelf keek ik maar niet omhoog, ik wilde niet weten of ik Arundhati kon zien. Het was maar bijgeloof en toch durfde ik niet te kijken.

'Niet echt,' antwoordde Anand. 'Maar toch... Neelima past zich wel aan, Priya.' Hij nam een haal van zijn sigaret en blies een kringetje rook uit.

Ik stak mijn vinger door het kringetje. 'Je zou Ammamma, Lata en de anderen moeten zeggen dat ze Neelima niet de schuld van jullie huwelijk moeten geven.'

'Dat is niet iets wat je je familie zou moeten zeggen,' reageerde Anand bitter. 'Ik kan moeilijk naar hen toe gaan en zeggen... Toch?'

'Natuurlijk kan dat wel,' zei ik. 'Wees een man, Anand, kom voor je vrouw op. Of heeft Thatha de touwtjes nog te strak in handen?'

Ik was hard tegen hem... Maar ik was dan ook flink kwaad omdat Anand zijn schouders ophaalde over wat zijn vrouw moest doorstaan. Anand en ik stonden elkaar zo na dat ik best recht op de man af kon zijn. Inderdaad was Anand niet beledigd, maar wel een beetje uit zijn humeur.

Hij drukte zijn sigaret op de vloer uit en keek met een frons naar me op. 'Wil je dat ik het tegen mijn grote boze vader opneem?'

'Ja,' zei ik.

'Echt?'

'Ja,' herhaalde ik.

'En wanneer ga jij hem dan over jouw vriend vertellen?' vroeg Anand.

'Wat?' vroeg ik ontzet. Sowmya zou hem nooit over Nick hebben verteld. Of toch wel? Hoe anders kon Anand dit weten?

'O ja, vertel me nou maar niet dat je tegen uithuwelijken bent omdat je liever ongehuwd en eenzaam bent,' zei Anand. 'Het is heus niet moeilijk te raden. Wie is het?'

Ik voelde me misselijk van angst. Torste ik een neonbord met me mee waarop stond: IK HEB EEN VRIEND IN AMERIKA?

'Kom op, Priya,' zei Anand. 'Ik heb er verstand van. Ik ben niet achterlijk.'

'We hadden het niet over mij,' mompelde ik, 'maar over Neelima.'

'Je durft niet, hè?' zei Anand meesmuilend. 'Dus heb je niet het recht–'

'Als ze mijn vriend slecht behandelden, zou ik er zeker iets van zeggen,' viel ik hem in de rede.

'Dus je hebt een vriend.' Hij grijnsde breed en stak nog een sigaret op. 'Vertel!'

Ik zuchtte diep. 'Dit zal je niet bevallen.'

'Zeg eens, ik ben met Neelima getrouwd.'

'Jawel, maar zij is Indiër.'

Anand liet zijn sigaret vallen. 'Nee... Je hebt toch zeker geen Amerikaanse vriend?'

Ik knikte.

'O *Rama,* Rama...'

'Weet ik.'

'Wat ga je nu doen?'

'Ik weet het niet,' antwoordde ik naar waarheid. 'Eerst moet ik onder die stomme pelli-chupulu uit zien te komen.'

'Dat kan nu niet meer,' reageerde hij bezorgd. 'Niet als je hun niet eerst over je Amerikaan vertelt.'

'Laat mij nou maar. Ga jij nog iets doen aan hoe ze Neelima behandelen of wacht je totdat ze van je gaat scheiden?'

Anand pakte de gevallen sigaret op en nam een haal. 'Ik kijk wel.'

'Zodra Neelima vertelde dat ze zwanger was, begon Lata over miskramen in de eerste drie maanden en–'

'Het kreng! Hoe durft ze?' tierde Anand. Weer viel de sigaret op de grond. 'Ik snap niet dat Jayant het met haar uithoudt. En nu verwachtten ze dus weer een kind. Ze willen Nanna zeker een erfgenaam geven met zuiver brahmaans bloed, hè?'

'Maar wat ga jij nou doen?' vroeg ik.

'Dat weet ik niet,' antwoordde Anand.

⸺

Toen we beneden kwamen, was mijn vader in een heftige discussie met Jayant verwikkeld. Het ging over Indiërs die in het buitenland woonden. Jayant vond dat die hun vaderland ontrouw waren en mijn vader vond dat degenen die hier bleven de kans misten om zich te ontwikkelen.

'De wereld ligt aan onze voeten,' zei Nanna. 'We moeten ons als wereldburgers beschouwen, niet uitsluitend als Indiërs, Koreanen of Maleisiërs.'

Ze zaten aan de eettafel thee te drinken terwijl Sowmya rondliep en de tafel dekte.

'Ha, Priya,' zei Jayant. Hij stak zijn beide handen naar me uit en pakte de mijne stevig vast. 'Je bent volwassen geworden. En ik hoor dat je al gauw gaat trouwen. Die Sarma-jongen klinkt ideaal. Wat vind jij?'

Anand schraapte zijn keel en Sowmya keek me kwaad aan. Ik lachte niet erg op mijn gemak. Jayant kneep in mijn handen alsof hij de spanning voelde.

'Ze is boos omdat we dit hebben georganiseerd,' zei Nanna. Hij genoot overduidelijk van de positie waarin ik me bevond.

'Niks te boos,' zei Ma terwijl ze uit de keuken kwam met een grote pan met warme rasam. 'Morgen komen ze en als ze die jongen eenmaal heeft gezien... O, dan is ze ons dankbaar. Hij verdient honderdduizend dollar per jaar, vijftig lakh roepies.'

'Geld is niet alles, Ma,' zei ik. Ik ging naast Jayant zitten. 'En ik heb nog niet gezegd dat ik er morgenmiddag ben voor die... vernederende ervaring.'

'Vernederend?' vroeg Nanna gesmoord. 'Maar Priya Ma, je doet net of we kwelgeesten zijn. We houden van je. We doen dit omdat we van je houden.'

'Breek ons hart niet, Priya,' zei Ma, plotseling ernstig. 'We hebben al zo lang gewacht. Je zei dat je er niet klaar

160

voor was en al die jaren hebben we gewacht. Wat kun je nog meer van ons verlangen?'

Als ze tegen me hadden geschreeuwd, als ze me hadden uitgescholden, als ze hadden gevleid, dan had ik geweten hoe ik daarmee moest omgaan. Dit was onverwacht, het paste niet bij hen, en daarom verloor ik mijn vechtlust.

'Daar gaat het niet om, Ma, Nanna,' zei ik zacht. 'Ik vind gewoon dat op deze manier trouwen... Het is niet waardig... Nee, nee, dit is niets voor mij.'

'Alle anderen doen het zo,' zei Ma zachtjes. 'Vind je Sowmya en Jayant dan onwaardig?'

Dat was niet eerlijk. Wat moest ik daarop zeggen met Sowmya en Jayant erbij die me allebei afwachtend aankeken?

'Nee. Zo bedoelde ik het niet,' zei ik mak.

'Dus je bent er morgen?' vroeg Nanna.

Ik was in de val gelopen!

'Niemand kan je tot een huwelijk dwingen,' zei Ma gretig. 'Kijk gewoon naar die jongen, en als hij je niet bevalt, hoef je niet met hem te trouwen. Maar als je hem nooit leert kennen, weet je niet of je hem leuk vindt of niet.'

O, dat wist ik nu al! Maar ze keken me allemaal met iets van wanhoop aan. Ze wilden me zo graag getrouwd zien. Ze vonden dat ik dan pas echt op mijn pootjes zou terechtkomen. En welk kind kan zich tegen de wanhoop van ouders verzetten?

'Goed dan,' zei ik verslagen voordat ik opstond.

Ik liep door de kamer waar Thatha, Ammamma en Lata naar het nieuws op de Telugu-zender keken. Neelima en Anand zaten in de slaapkamer naast de veranda te praten. Zij huilde alweer en hij hield haar hand vast. Ze zagen er schattig uit, heel erg verliefd. Even voelde ik een steek van jaloezie. Zij waren al getrouwd, en ik durfde mijn ouders niet over Nick te vertellen. Ik was bijzonder laf, want nu had ik erin toegestemd aanwezig te zijn bij de ceremonie morgen, het keuren van de bruid.

Ik voelde met mijn duim aan mijn kale ringvinger, daarna balde ik mijn vuist. Ik had de ring in het vliegtuig afgedaan, vlak voordat we landden. Vanaf het begin had ik Nick verborgen gehouden. Misschien had ik voor het vertrek al geweten dat hij mijn geheim zou blijven.

Ik pakte mijn tasje dat naast het schoenenrek op de veranda lag en zocht de sandalen die ik niet lang geleden had uitgeschopt. Zonder het iemand te vertellen glipte ik het huis uit om een telefooncel te zoeken. Een straat verder dan het goli-winkeltje vond ik er een. Ik toetste het nummer van Nicks mobieltje in en hij nam meteen op.

'Hoi,' zei ik. Ik hoorde een opgeluchte zucht aan de andere kant van de lijn.

'Hoe is het met je? Waar ben je?'

'Bij mijn grootmoeder,' zei ik.

'Sla je je er een beetje doorheen?' vroeg Nick.

'Gaat wel.'

'Zo klink je anders niet.'

'Het gaat best,' zei ik. Ik probeerde een beetje opgewekt te klinken. 'Alleen... Die jongen die ze willen dat ik leer kennen... Het is allemaal zo vermoeiend.'

'Je doet daar toch niet aan mee, hè, aan die ceremonie?' vroeg Nick zacht.

Ik zweeg een nanoseconde voordat ik overtuigend loog. 'Natuurlijk niet.'

'Weet je het zeker? Ik bedoel, wil je liever wel gaan? Oei, dit is moeilijk, zeg... Twijfel je soms?' vroeg hij.

Ik voelde me meteen schuldig. 'Twijfelen? Ik? Aan ons?' Ik slikte moeizaam. 'Natuurlijk niet, Nick. Hoe kom je daarbij?'

'Nou ja, ik vroeg het me af. Je stelt het steeds uit om ze over ons te vertellen. Ik ben geen seriemoordenaar of verkrachter... Ik ben best een goede vangst, denk je niet? Mijn moeder vindt van wel,' zei Nick. Op het eind moest hij lachen.

'O, je bent veel meer dan "best goed". Je bent de beste vangst aan deze kant van de Mississippi,' zei ik. Net als hij probeerde ik het luchtig te houden, de twijfels te doen verdwijnen.

'Het spijt me dat ik niet ben meegegaan. Ik zou nu graag bij je zijn,' merkte hij plotseling geërgerd op.

Ik had dat ook graag gewild. Het zou alles extra moeilijk hebben gemaakt, maar ik zou er dan niet alleen voor hebben gestaan, en mijn ouders zouden nooit hebben geprobeerd me te koppelen aan de zoon van een vriend van een vriend.

'Ik wíl ze over jou vertellen. En dat ga ik ook doen, vandaag nog, gauw,' zei ik. Ik loog alweer. Ik had nog nooit tegen Nick gelogen, dit was net zoiets als hem bedriegen, maar ik kon er niets aan doen. Ik was opgetild door een wervelstorm en we waren Kansas allang uit.

'Ik vertel het ze morgen,' loog ik weer. Ik was eigenlijk niet meer van plan hun over Nick te vertellen. Ik kon het niet. Ik moest mezelf onderweg naar huis, naar Nick, maar van kant maken zodat mijn verraderlijke spelletje nooit zou uitkomen.

'Vertel het... vertel het niet. Maak je toch niet zo druk, je bent met vakantie, je zou je moeten amuseren,' zei hij. Ik vroeg me af of hij wist dat ik loog.

'Ik ga het vertellen. Ik hou van je, Nick,' zei ik met iets wanhopigs.

'Ik ook van jou.'

'Ik moet nu terug. Ik bel je gauw weer. Stuur me maar een mailtje... Veel mailtjes. Die lees ik graag.'

Hij zei nog eens dat hij van me hield, toen hing ik op. Ik voelde me somber. Ik had de moed niet mijn ouders over Nick te vertellen. Niet om hen niet te kwetsen, maar uit zelfbescherming. Ik was bang dat als ik hun over Nick vertelde, ze niet meer van me zouden houden. En ik was bang dat als ik het niet vertelde, Nick niet meer van me zou houden. Het was niet eerlijk. Ik moest kiezen tussen Nick en mijn familie.

Onderweg naar Thatha's huis huilde ik aan één stuk door, en ik veegde met beide handen de tranen van mijn gezicht.

⌒

Het was een luidruchtig diner. Thatha had het over de dubbele bruiloft die we konden vieren. 'Wat zeg je ervan, Priya? Mijn Sowmya en jij kunnen in dezelfde *mandap* trouwen!' zei hij. Hij sloeg met zijn hand op zijn dij.

Ik hevelde een beetje mango pappu uit een kommetje op mijn bord over en vermengde het met de rijst.

'*Nnayi?*' Sowmya hief een schaaltje geklaarde boter op. Ik schudde mijn hoofd. Ik had nooit naar India moeten gaan – daarvan was ik nu overtuigd. Ik had meer problemen dan ik aankon.

'Priya?' vroeg Thatha. 'Maar Amma, wil je geen dubbele bruiloft?'

'Misschien moeten we gewoon een enkele bruiloft in

164

een enkele mandap houden,' zei Ma alsof alles al vaststond en ze niet wilde dat Thatha zich iets in zijn hoofd haalde. Wanneer haar dochter trouwde, was dat in haar eigen mandap. Sowmya moest maar voor zichzelf zorgen.

'Laten we de huid van de beer niet verkopen voordat die geschoten is,' zei Lata. Voor het eerst was ik haar dankbaar. 'Anand, geef de rasam eens door?'

Anand en Neelima zaten naast elkaar. Ze waren al vanaf dat we begonnen te eten erg stilletjes. Hij keek Lata aan, toen keek hij naar de rasam en haalde diep adem.

'Lata, heb je toen Neelima vertelde dat ze zwanger was, gezegd dat ze een miskraam zou krijgen?' vroeg hij. Zijn stem trilde licht, geheel in tegenspraak met het barse gezicht dat hij trok.

Er viel een diepe stilte, zo diep dat de stemmen van lang geleden de glazen op hun dunne voetjes op het bobbelige formica deden wiebelen. Anands onverschrokken stem klonk heel anders dan we gewend waren, want hij was meestal rustig, op zijn gemak of onderdanig. Hij ging confrontaties uit de weg, daarom had hij zijn familie pas over Neelima verteld toen ze al getrouwd waren.

'Wat?' vroeg Lata. Haar met mango pappu bedekte hand bleef stil op haar bord liggen.

Even zweeg Anand. Ik zag zijn adamsappel op en neer gaan – de tentakels van zijn nervositeit beroerden iedereen in het vertrek.

'Anand, dit is niet het moment voor gedoe. Lata heeft niets gezegd,' zei Ammamma waarschuwend. Ze had geen zin in ruzie.

'Er is geen gedoe,' zei Anand. Hij stond op, alsof het gemakkelijker was als hij boven iedereen uittorende.

Nanna, die naast me zat, trok vragend zijn wenkbrauwen op. Ik schudde mijn hoofd. Ik wist wat Anand ging zeggen, hoewel ik me afvroeg of hij de moed daartoe wel kon opbrengen.

'Sinds Neelima en ik zijn getrouwd, behandelen jullie haar slecht,' begon hij.

'Slecht?' bulderde Thatha. 'Wat een onzin! Dat verbeeld je je maar.'

'Het is geen onzin, Nanna,' zei Anand. Voor deze ene keer klonk hij vol zelfvertrouwen, hij stond zijn mannetje tegenover zijn dominante vader. 'Neelima is mijn vrouw, ze verdient jullie respect. Als jullie als familie hebben besloten haar slecht te behandelen–'

'Niemand behandelt haar slecht, Anand,' onderbrak Lata hem. 'Ik zei alleen dat ze voorzichtig moest zijn. De eerste drie maanden zijn nog zo onzeker. Misschien heeft ze dat verkeerd begrepen.'

Neelima begon zacht te huilen. Het kwam gedeeltelijk van de spanning, gedeeltelijk van de hormonen. 'Het spijt me,' fluisterde ze.

'Nee, het spijt mij,' zei Anand. Hij ging weer zitten en pakte haar hand. In mijn familie was het niet gebruikelijk dat echtelieden hun gevoelens voor elkaar openlijk toonden, en weer voelde ik een steek van jaloezie. Ze hielden van elkaar, ze waren getrouwd, ze kregen een kind; ik was verliefd op een man die de verkeerde huidskleur en nationaliteit had, ik leefde in zonde met hem en had net tegen hem gelogen.

'Ik stuur haar steeds hier naartoe.' Anand keek Thatha aan. 'In de hoop dat jullie haar accepteren. Als jullie haar beter kenden, zouden jullie inzien dat ze geweldig is en van haar gaan houden. Jullie zouden haar als familielid gaan behandelen. Maar... Als jullie dat niet willen, komt ze niet meer. En ik ook niet... En ons kind ook niet.'

Anand had gezegd waar het op stond. Hij had een onzichtbare grens getrokken en was nu een man. Ik was trots op hem.

Ammamma wilde iets zeggen, maar zweeg toen Thatha zijn hand opstak.

'Ik ben het met je eens. Ze is onze schoondochter en daarom verdient ze ons respect,' zei Thatha terneergeslagen. 'Maar er gaat tijd overheen voordat we van haar kunnen gaan houden. We hebben haar niet als jouw vrouw uitgezocht, Anand. Wat gebeurd is, is gebeurd. Dat kunnen we niet veranderen, net zomin als we kunnen veranderen hoe we haar hebben behandeld. Maar van nu af aan zullen we met haar omgaan als familielid.'

Ammamma keek weg en Lata klakte met haar tong. Mijn moeder perste haar lippen op elkaar en haalde haar schouders op.

'Begrepen?' vroeg Thatha. Hij keek de vrouwen van zijn huis stuk voor stuk aan.

'Ja,' zei Ammamma uiteindelijk. Ze sprak voor hen allen.

'Goed,' zei Thatha. Hij knikte Neelima toe. 'Gefeliciteerd met je zwangerschap. We kunnen niet wachten om weer een kleinkind in onze armen te houden.'

Nu stroomden de tranen als een waterval over Neelima's wangen. Anand keek naar mij en vormde het woord: bedankt. Ik knikte en voelde me een bedrieger.

To: Priya Rao <Priya—Rao@yyyy.com>
From: Nicholas Collins <Nick—Collins@xxxx.com>
Subject: Telefoontje!

Het was fijn weer eens met je te kunnen praten.

Ik weet dat er druk op je wordt uitgeoefend en ik wilde
dat ik je kon helpen. Ik begrijp jullie omgangsvormen niet
altijd precies en soms begrijp ik dan niet goed waarom je
iets doet zoals je het doet.

Maar ik begrijp wel dat je op je eigen intuïtie en op je
hart moet afgaan om je familie tevreden te stellen, want
als zij gelukkig zijn, ben jij dat ook. Ik snap nu ook dat het
moeilijker is om afstand te scheppen nu je daar bent.
Hier kon je je goed voorstellen dat je je familie over mij
vertelde omdat ik bij je was, maar nu zijn zij bij je en valt
het je zwaar.

Ik vind het niet prettig, maar ik begrijp het wel als je
uiteindelijk toch niets over me zegt. Ik vind dat heel
onplezierig omdat ik je helemáál wil. Ik wil niet dat je
verscheurd wordt door dochter/kleindochter en
vrouw/minnares te zijn.

Maar natuurlijk wil ik je hoe dan ook bij mij.

Pas goed op jezelf,
Nick

Ik kon niet slapen.

Sowmya, Anand, Neelima en ik lagen op het terras op *chappa's,* stromatten. Ik legde mijn hoofd op het platte kussen van katoen en keek omhoog naar de sterren. Sinds Sowmya een half uur geleden in slaap was gevallen, keek ik al naar Saptarishi, en ja hoor, ik kon Arundhati niet zien. In haar plaats cirkelden de aasgieren.

De laatste keer dat ik op het terras had geslapen, was ik twintig jaar, klaar om de wereld met de moed der onschuldigen tegemoet te treden. Ik stond op het punt om naar Amerika te gaan. Ik had al een studentenvisum en mijn koffers waren gepakt. Het laatste weekend voordat ik over zeven zeeën naar het land van onbeperkte mogelijkheden vloog, was ik bij Ammamma. Ik wilde zo graag weg en ik was zo opgewonden dat ik er helemaal niet bij stilstond dat wanneer ik terugkwam, alles anders voor me zou zijn. Ik stond er niet bij stil dat alles anders zou zijn, dat het waar was dat je nooit echt terug kon.

Dit was mijn thuis niet meer. Thuis was San Francisco, bij Nick. Thuis was de supermarkt van Whole Foods en fastfood van de KFC. Thuis was Pier 1 en de Wal-Mart. Thuis was 7-Eleven en Starbucks. Thuis was vertrouwd. Hyderabad was een onbekende; India was mij vreemd, ergerlijk en soms exotisch, net als voor een buitenlander.

Ik hoorde het hek opengaan en ik stond op om te kijken wie daar was. Een lange gestalte met een rugzak liep de hof op en stond toen onder het gele lampje dat bij de carport flikkerend opgloeide. Hij keek op en zwaaide. Ik was nog nooit zo blij geweest Nate te zien.

'Ik sterf van de honger,' zei hij zodra ik beneden was. 'Slapen jullie boven?'

'Ja, en in de keuken is genoeg te eten,' zei ik. 'Kom, dan nemen we de achterdeur.'

'Goed idee, ik heb nu geen zin in Ma die uit haar dak gaat en roept: "O, mijn zoon is thuisgekomen!"' zei hij met een grijns.

Ik omhelsde hem stevig. Hij was nu langer dan ik, drong het tot me door toen hij mijn haar streelde.

'Hé,' zei hij, en hij hield me even een eindje van zich af. 'Ik ben een kerel, hoor, al dat geknuffel is meer iets voor watjes.'

'Och, jij,' zei ik en ik tikte tegen zijn neus.

Nate liet zijn sportschoenen buiten de achterdeur staan voordat hij naar binnen ging. We knipten het licht in de keuken aan en Nate plofte op de grond neer.

'Waarom ben je nu al terug?' vroeg ik terwijl ik een bord uit het kastje pakte.

'Ik verveelde me,' zei hij. Toen haalde hij zijn schouders op. 'Ik wilde erbij zijn, ik wilde bloed zien vloeien. Of heeft de dikke dame al toegeslagen?'

'Welke dikke dame?' vroeg ik. Ik vulde een glas met het water uit de aardewerken kruik naast het fornuis. 'Heb je zin in pappu met rijst?'

'Wat voor pappu?'

'Mango?'

'Prima. Sowmya maakt spinazie pappu die bijna niet weg te krijgen is,' zei Nate. 'Kun je de rijst een beetje opwarmen? Van ijskoude rijst krijg ik op de vreemdste plaatsen kippenvel.'

Ik haalde rijst en pappu uit de ijskast. Met mijn vingers mengde ik het door elkaar, daarna deed ik het mengsel in een koekenpan om het op te warmen.

'Ze zouden een magnetron moeten hebben,' zei ik.

'De dochter die uit Amerika is teruggekomen heeft dure ideetjes,' zei Nate gespeeld spottend. 'En? Wanneer ga je het ze vertellen?'

'Ik ga het ze niet vertellen,' zei ik zonder hem aan te kijken. 'Ze hebben een pelli-chupulu voor me geregeld.'

'Dat Venkatesh-typetje van Rijst Sarma.'

'Wist je daarvan?'

'Niet echt. Ma vertelt me niet alles. Maar om heel eerlijk te zijn, die jongen... eh, die man is heel knap en hij heeft een goede baan. Ik weet niet of hij rookt en drinkt, maar zijn moeder zegt dat het een *gudu-baye* is,' zei Nate.

'Dat zal best,' mopperde ik. 'Weet je die gudu jongen uit Chicago nog?'

'O ja, die,' zei Nate met een lach. 'Een lot uit de loterij, Priya.'

'Hij had al een vriendin, hij woonde samen.'

'Een kleinigheid.'

Ik deed de opgewarmde rijst met pappu op een bord en zette dat met het glas water voor Nate neer. Ik ging tegenover hem op de vloer zitten en dronk water uit zijn glas.

'Er zit ook GELUK in de ijskast,' zei ik. 'Ik vroeg Sowmya een beetje achter te houden van de mango die ze voor het avondeten in stukken sneed.'

'En daar wil je geen ruzie over maken?' vroeg Nate achterdochtig.

Ik schudde mijn hoofd. Ik wilde niet eens ruzie maken over GELUK. Het was niet best met me gesteld.

'Voel je je niet goed?' Nate legde zijn hand tegen mijn voorhoofd, alsof hij wilde kijken of ik soms verhoging had.

'Ik heb tegen Nick gelogen,' biechtte ik op. 'Ik zei Nick dat ik niet naar de chupulu zou gaan en dat ik jullie over hem zou vertellen.'

'Heet hij Nick? Heb je een foto?'

'Een foto? Ik heb wel iets anders aan mijn hoofd, Nate.'

'Nou, vertel dan de waarheid en ga niet naar de chupulu,' zei Nate met zijn mond vol. 'Vertel ze over Nick. En ik wil toch graag mijn aanstaande zwager zien. Als het niet in levenden lijve kan, dan maar in Kodacolor.'

'Ik stuur je wel een keer een foto,' zei ik. 'En wat maakt het uit hoe hij eruitziet? Kom op, Nate, al die stress is slecht voor mijn hart.'

'Onzin, er is niks mis–'

'Nate?' Dat was Nanna's stem.

'Hé, Nanna,' riep Nate. Hij knipoogde naar me. 'In ieder geval is zíj niet wakker geworden,' voegde hij er fluisterend aan toe.

'Is Nate er?' hoorden we Ma's stem. Het leek net een toneelstuk.

'Nou ja, je kunt nu eenmaal niet alles hebben.' Nate slaakte een zucht toen we de schrille stem van onze moeder in de gang hoorden. Ze zei precies wat Nate al had gedacht: 'O, mijn zoon is thuisgekomen!'

Deel 4

Zoet en pittig

Rava Ladoo

1 kopje grove griesmeel (*rava/sooji*)
1 kopje suiker
3 eetlepels ghee
1 kopje melk
1 eetlepel cashewnoten
1 eetlepel rozijnen

Bak het grove griesmeel op laag vuur totdat het een beetje bruint. Voeg er dan de suiker, de ghee en de melk aan toe en bak totdat het mengsel plakkerig wordt. Hak de nootjes fijn en voeg die samen met de rozijnen aan het mengsel toe. Haal de pan van het vuur en vorm balletjes van het deeg. Opdienen wanneer ze droog zijn.

Aloo Bajji

1 kopje kikkererwtenmeel (*besan*)
water
zout naar smaak
1 theelepel chilipoeder
1 kopje arachideolie
4-5 grote aardappelen in dunne plakjes

Meng de besan met het water, het zout en het chilipoeder tot een licht vloeibare massa. Verhit de olie in
een frituurpan. Dompel de dunne plakjes aardappel in
het mengsel en frituur in de arachideolie totdat ze
goudbruin zijn.

De overeenkomsten tussen vee
en vrouwen

Sowmya deed de rava voor de ladoo in de koekenpan met de spetterende ghee. Ze gebruikte een roestvrijstalen spatel om het griesmeel met de ghee te bedekken en zette het vuur toen laag.

'Dat Anand dát tegen Nanna durfde te zeggen...' zei ze. Iedereen had het over Anand die voor Neelima was opgekomen, ze konden er niet over uit dat Thatha had ingebonden en Neelima eindelijk als schoondochter geaccepteerd.

Ik stond bij de gootsteen aardappels te schillen om aardappelbajji te maken. Ik was nog helemaal versuft dat ik geen bezwaar meer maakte tegen de ceremonie van het keuren van de bruid, de plechtigheid waarmee ze me hadden overvallen.

'Dat ík hapjes voor die stomme chupulu sta te maken...' zei ik kwaad. Ik rukte de schil van de aardappels.

'Misschien moet je die Amerikaan maar vergeten en met deze aardige jongen trouwen...' stelde Sowmya voor.

'Wat bedoel je met "vergeten", Sowmya? Ik heb een relatie met hem, het is geen droom waaruit ik kan ontwaken,' reageerde ik geërgerd. 'Ik woon samen met Nick. We delen een huis, een bed, een leven. Moet ik dat zomaar achter me laten?'

Sowmya trok een pruillip. Ze zuchtte voordat ze melk uit een kannetje over de gebakken rava schonk.

'Ik hou van hem,' zei ik zacht. 'Ik hou zielsveel van hem.'

Sowmya haalde haar schouders op en kwakte het roestvrijstalen kannetje op het aanrecht.

'Wat moet dat betekenen?' vroeg ik.

'Niets, Priya,' zei Sowmya voordat ze nog eens zuchtte.

'Waarom zeg je niet gewoon wat je op je hart hebt in plaats van je schouders op te halen en te zuchten?'

Sowmya pakte de suiker en gooide op de bonnefooi een paar handjes in de koekenpan. Ze wreef haar hand aan haar sari af en pakte de spatel op.

'Ik snap niet hoe je van een Amerikaan kunt houden. Ik bedoel... waar praten jullie over?' vroeg ze terwijl ze langzaam de suiker door de rava roerde.

'Hoe bedoel je, waar praten we over? We praten over van alles, net als iedereen,' zei ik. Ik had het maar niet over een paar onderwerpen die op het puntje van mijn tong lagen.

'Maar... Hij is geen Indiër,' zei Sowmya, alsof dat alles verklaarde.

Ik liet de aardappel vallen die ik schilde en verborg mijn gezicht in mijn handen. Als Sowmya, die toch van mijn generatie was, al niet kon begrijpen dat ik een relatie met Nick had, kon ik me goed voorstellen hoe de anderen zouden reageren.

'Priya, ze komen al over een uur,' zei Ma terwijl ze de keuken in stormde. 'Heb je je al gebaad?'

'Ja,' antwoordde ik. 'Vanmorgen vroeg, Ma. Dat hoort toch bij *Gangiraddhi?*'

Het was misschien niet verstandig een 'opgetutte' koe voor een puja met mezelf te vergelijken, maar ik was zo vechtlustig als een razende stier die tegen zijn zin iets moet doen.

'Een Gangiraddhi heeft geen keus en jij wel,' reageerde Ma woest.

'Hoe heet die jongen, Akka?' vroeg Sowmya voordat ik mijn moeder iets kon toebijten.

'Adarsh. Een leuke naam. Maar waarschijnlijk niet goed genoeg voor Priya Maharani, ons eigen koninginnetje,' merkte Ma sarcastisch op.

'Ik heb geen moeite met zijn naam,' mompelde ik.

'Ik heb op Ammamma's bed een paar sari's en blouses gelegd, en ook sieraden; neem maar wat je wilt. Ik wil hier geen ruzie over maken, Priya. Trek maar aan wat je wilt. Ik bemoei me er niet mee,' zei Ma. Ze pakte de aardappel op die ik had laten vallen.

'Ik draag geen sieraden,' waarschuwde ik haar.

'Je hoeft niets te doen wat je niet wilt,' snauwde Ma. 'Sloof je voor ons niet uit. Wij vinden een uitstekende jongen voor je en...' Ze gooide de aardappel in de gootsteen en zei: 'Ik kan er niet meer tegen.' Daarna stormde ze de keuken weer uit.

Lata kwam binnen en vroeg wat er gaande was. Ik volgde mijn moeders voorbeeld en stormde zelf ook de keuken uit.

Toen Nick voorstelde om te gaan samenwonen, zei ik met-een nee. Ongehuwd samenwonen, zo was ik niet opgevoed.

'Maar je bent hier toch aldoor,' zei Nick, doelend op zijn appartement. 'Wat maakt het uit als je hier echt komt wonen?'

'Voor mijn familie maakt het een groot verschil,' zei ik naar waarheid. Een week later trok ik toch bij hem in omdat het tot me doordrong dat ik me niet steeds druk moest maken over wat mijn familie ergens van vond. Ik moest mijn eigen leven leiden. Daarna was ik vastbesloten Ma, Nanna of Thatha mijn leven niet te laten uitstippelen. Maar nu waren ze zo dichtbij, de banden die me met hen verbonden werden strakker aangetrokken, ze beten in mijn vel en in mijn geweten.

De sari's op Ammamma's witte sprei zaten zo vol goud-borduursel dat ik al moe werd door er alleen naar te kijken.

'De blauwe,' zei Nate die net naar binnen was geslen-terd. Hij knabbelde op een wortel. 'En dit,' zei hij terwijl hij een vinger over een ketting met bijpassende oorbellen liet glijden.

'Dan zie ik eruit als een omaatje,' zei ik.

'Nou en? Op wie wil je indruk maken?' vroeg Nate met een grijns.

'Doe toch niet zo achterlijk, ja?' zei ik, maar ondanks mezelf moest ik lachen. O, die ijdelheid... Zelfs al wilde ik geen aanzoek van Adarsh Sarma, toch wilde ik er goed uitzien.

'Als je er leuk wilt uitzien, moet je die gele met de rode bies dragen. Een echte sari uit een Telugu-film, zeker met die ketting met robijnen,' zei Nate. 'Mijn vriendin ziet er geweldig uit in zo'n klassieke sari.'

Ik ging op bed zitten en pakte de sari. 'Hoe heet je vriendin?'

'Tara,' zei Nate zonder aarzelen. 'Ze studeert bijna af aan St. Frances in Begumpet. Haar vader was officier in het leger. Ze wonen in Sainikpuri en ja, ik heb haar ouders ontmoet. Ze vinden me de beste uitvinding sinds oploskoffie.'

Ik knikte. 'Nanna vroeg naar haar.'

'Nanna weet van haar.' Nate grijnsde. 'Hij heeft me een keer met haar gezien. We lunchten in Ten Downing Street en Nanna kwam met een collega binnen. We zagen elkaar zitten maar deden net of dat niet zo was. We hebben het er verder nooit over gehad. Ik denk dat Nanna niet wil dat ik hem vraag wat hij in een pub doet, en hij wil ook niet weten wat ik daar deed. Geen vragen stellen, niets vertellen... Een goede strategie.'

'Weet Ma ervan?'

'Als Ma het wist, zou iedereen het weten,' sneerde Nate. 'Denk erom dat je Nick over de pelli-chupulu vertelt. Als Tara zo'n bizarre ceremonie moest bijwonen zonder het me te vertellen, zou ik heel lang razend zijn.'

Toen hij me tussen de prachtige zijden sari's achterliet, overdacht ik mijn opties. Ik kon me niet meer aan de ceremonie onttrekken, dan sloegen mijn ouders een figuur. En ik moest Nick de waarheid vertellen. En ik moest Ma, Nanna en Thatha de waarheid vertellen.

Eigenlijk was het heel eenvoudig. Ik moest gewoon iedereen de waarheid vertellen en dan maar hopen dat ze nog van me hielden.

Tegen de tijd dat we de Sarma's verwachtten, voelde ik me meer een ding dan een mens. Ma trok en rukte en schoof voor de honderdste keer aan de sari met de blauwe zoom die ik had uitgezocht, de sari waarin ik eruitzag als een omaatje.

'Zo,' zei ze met een tevreden blik. 'Die jongen is ideaal, Priya. Zelfs jij zal geen aanmerkingen op hem hebben.'

Ik had willen vragen of ze wilde wedden.

Sowmya kwam giechelend de slaapkamer van Ammamma en Thatha binnen terwijl ik de laatste hand aan mijn toilet legde.

'Ze zijn er. Ze hebben een Mercedes,' zei ze met een lach. Ze kon niet verhullen dat ze blij was dat ik werd gekoppeld aan een of andere minkukel die er op papier veelbelovend uitzag.

'Ze zijn gefortuneerd,' legde Ma uit. Ze schikte Ammamma's saffieren nog eens rond mijn hals. 'Ik wou dat je die gele sari had aangetrokken. Deze is...' Ze klakte met haar tong en zuchtte toen.

'Je ziet er leuk uit, Priya,' zei Sowmya. Ik lachte, niet op mijn gemak. Ik voelde me net een gelardeerde kalkoen. De kookwekker kon ieder moment afgaan.

In de kamer ernaast hoorde ik de gasten – ik deed mijn ogen dicht en bood Nick stilletjes mijn excuses aan. Ik maak het allemaal goed, beloofde ik hem, maar ik had geen flauw benul hoe ik dat moest aanpakken.

'Als jullie een beetje willen praten, moet je op de schommel op de veranda gaan zitten,' zei Ma. 'En zwaai dan niet met je benen alsof je een *junglee* bent. Gedraag je als een dame.'

'Moet je me niet vertellen hoe ik moet lopen? Misschien

180

kun je me na de bruiloft ook instructies geven zodat mijn man niet van me af gaat?' vroeg ik spottend.

'Misschien moet dat wel, als je zo doet,' reageerde Ma meteen. Per slot van rekening was ze mijn moeder, ik had mijn sarcasme van haar, maar dan in mindere mate.

'Priya, jij brengt de ladoo, en...' begon Sowmya. Ik hief mijn hand op.

'Ik ben bereid daar te gaan zitten en als een normaal mens een praatje te maken, maar ik ga niet zedig met de hapjes rond zodat ze me kunnen keuren alsof ze een koe kopen,' zei ik zacht maar dreigend. Ik besefte dat ik zelfs nu nog hoopte dat ze iets zouden zeggen wat het voor mij rechtvaardigde me terug te trekken. Want als de ceremonie niet doorging, hoefde ik er Nick ook niet over te vertellen.

'Goed dan,' zei Ma met een zucht. 'Sowmya, zet jij de ladoo en de bajji maar op tafel, samen met de thee. De maharani hier mag op haar luie kont blijven zitten.'

Ik wilde niet als vee worden rondgeleid, daarom liep ik achteloos de kamer in alsof ik niet wist wie daar waren en waarom.

Ik moest toegeven dat Ma niets te veel had gezegd. De jongen – de man – was bijzonder knap en als ik nog single zou zijn, zou ik best aan hem uitgehuwelijkt willen worden nog voordat ik een woord met hem had gewisseld. Waar waren dit soort knappe mannen toen ik nog in India studeerde? Maar natuurlijk kon hij de vergelijking met mijn eigen knappe verloofde niet doorstaan.

'Mijn dochter Priya,' zei mijn vader toen hij me voorstelde. 'Priya, dit zijn Adarsh, meneer Sarma en zijn vrouw.'

'Namaskaram,' zei ik terwijl ik mijn handen tegen elkaar legde. 'Hoi,' zei ik tegen Adarsh. Hij lachte terug. Hij had een kuiltje in zijn rechterwang. Nick had een kuiltje in zijn linkerwang.

'Hoe vind je het om weer hier te zijn?' vroeg meneer Sarma toen ik naast Ma had plaatsgenomen. Ik zat in het licht zodat iedereen me goed kon zien, mijn sari en mijn juwelen werden mooi tentoongespreid. 'Ik hoor dat je na zeven jaar terug in India bent.'

'Alles is hetzelfde... maar toch ook weer niet,' zei ik raadselachtig.

'Zoiets zei Adarsh ook,' merkte meneer Sarma enthousiast op. Hij lachte breed. 'Hij zegt dat er niets is veranderd en dan zegt hij weer dat alles is veranderd. Het lijkt erop dat jullie niet kunnen beslissen.'

'Heb je er ooit over gedacht om naar Texas te verhuizen?' vroeg mevrouw Sarma.

'San Francisco bevalt me erg goed,' antwoordde ik. Ik voelde me verschrikkelijk ongemakkelijk. Ik keek Ma niet aan. Zij keek beurtelings kwaad naar mij en dan lachend naar de gasten. Het feit dat ik niet graag wilde verhuizen was een duidelijk teken van terughoudendheid.

'Adarsh denkt erover om naar de Bay Area te verhuizen,' zei mevrouw Sarma. 'Daar woont veel familie, hij wil een bedrijf opzetten.'

'Eh... nee,' wees Adarsh zijn moeder niet op zijn gemak terecht. 'Ik ga bij een vriend werken die een bedrijf heeft opgezet... Of liever, daar denk ik over.'

'Wat voor bedrijf is dat, van je vriend?' vroeg ik.

'Ze maken–' begon Adarsh.

'Och, al dat gepraat over werk,' viel Ma hem in de rede.

'Waarom gaan jullie niet gezellig op de veranda een beetje praten terwijl wij ouwetjes ladoo en bajji eten?'

Ik had er iets voor over gehad als Ma een ietsepietsie subtieler was.

'Wat? Krijgen wij geen ladoo en bajji?' vroeg Adarsh ondeugend.

'Natuurlijk wel.' Blozend hield Ma hem een schaal bajji voor.

Adarsh nam er een bajji af en samen slenterden we naar de veranda. Ik ging op de schommel zitten en hij op de stoel tegenover me. Hij nam een hap van de bajji.

'Ik ben gisteravond vanuit Dallas aangekomen,' vertelde Adarsh. 'Dus misschien heb ik een beetje last van jetlag, maar jij lijkt ook niet zo op een huwelijk gebrand te zijn.'

Hij zei het zo op de man af, zo achteloos dat ik me meteen op mijn gemak voelde. 'Ik ben hier zeven jaar niet geweest, juist om dit soort dingen te vermijden,' zei ik eerlijk.

'Ik leef met je mee. Het lukte me om bijna zes jaar weg te blijven... Maar mijn grootmoeder is ernstig ziek, en ik dacht, zo erg kan het toch niet zijn,' zei hij schouderophalend. 'De vrienden van mij die getrouwd zijn, lijken het naar hun zin te hebben.'

'Vind je het niet barbaars om naar India te komen en een rijtje meisjes voor je neus te krijgen uit wie je kunt kiezen?' vroeg ik.

Weer haalde hij zijn schouders op. 'Niet echt... Nou ja, eerst wel, maar de meisjes keuren de jongens natuurlijk ook. Het werkt twee kanten op.'

'Daar heb je gelijk in,' gaf ik toe. Ik friemelde aan Ammamma's saffieren ketting.

We zwegen allebei. Dit was echt pijnlijk. Gingen al dit

soort ceremoniën zo? Of was het anders voor iemand die zo door de wol geverfd was als Sowmya?

'Ik wil alles,' zei hij ineens. 'Een vrouw, kinderen, een huis... Snap je waar ik naartoe wil?'

'Nou, ik ben geen Sherlock Holmes, maar het feit dat je hier bent duidt erop dat je op zoek bent naar een vrouw,' antwoordde ik. Ik lachte omdat hij zo eerlijk was. Hij was net zo onzeker als ik over hoe je kon weten dat degene met wie je een paar woorden wisselde degene was bij wie je de rest van je leven wilde zijn.

Hij grijnsde. 'Ik had hier ook onder dwang van mijn ouders kunnen zijn. Ik wil alleen dat je weet waar ik op uit ben.'

'Ik wil een man en kinderen en een huis in een buitenwijk... Nou nee, niet in een buitenwijk,' zei ik. Dat was geen leugen. Dat wilde ik. Maar dan met Nick.

'Daar ben ik blij om,' zei Adarsh. 'Ik weet niet veel van je en jij niet veel van mij. Over tien minuten komt mijn moeder of jouw moeder ons storen, want het is niet fatsoenlijk voor ons om zo lang zonder toezicht met elkaar te praten.'

'Mijn moeder komt uit nieuwsgierigheid, niet wegens de fatsoensnormen,' wees ik hem terecht.

Hij lachte en daar verscheen het kuiltje in zijn wang weer. Adarsh Sarma, zoon van de geslaagde Rijst Sarma, deed zeker niet onder voor Venkatesh, de filmster uit Telugu-films. Ieder meisje met een beetje verstand zou haar kans grijpen, maar ik vroeg me af of ik hem wel of niet over Nick moest vertellen.

'Ik wil graag eerlijk tegen je zijn,' zei hij. 'Het is belangrijk om eerlijk te zijn omdat we voor een belangrijke beslissing staan en die beslissing moeten we op een kort ge- sprekje baseren. Twee jaar geleden had ik een Chinese vriendin. Na drie jaar gingen we uit elkaar. Toen besefte ik dat ik een vrouw uit India wilde.'

Dit was een heel ongewone jongen... man. Ik had er nooit van gehoord dat er tijdens een pelli-chupulu over een ex werd gepraat. Dat hoorde niet, en ook al was het een aanzet om over Nick te beginnen, toch aarzelde ik. India is nog een echte mannenwereld. Adarsh mocht over zijn ex praten, maar het was taboe om het over mijn vriend te hebben, of die nu ex was of niet. Trouwens, ik durfde niet eens.

'Waarom heeft een relatie met een Chinese die niet goed heeft uitgepakt je ervan overtuigd dat het met een vrouw met een Indiaas smaakje beter zal gaan?' vroeg ik.

'Dat wil ik niet zeggen,' zei hij. Hij vertrok zijn gezicht over mijn woordkeus. 'Ik doe alleen maar wat jij ook doet, ik zoek naar een partner met wie ik gelukkig kan zijn en met wie ik een gelukkig gezin kan stichten. Ik kon uitstekend met mijn ex opschieten, maar Chinees Nieuw- jaar betekende niets voor me en zij snapte niets van *Ugadi*,' zei hij. 'Kun je dat begrijpen?'

Eigenlijk kon ik dat niet. Nick en ik hadden op dat ge- bied geen enkel probleem. Ik vierde Kerstmis en Thanks- giving met hem en hij vierde *Diwali* en *Ganesh Chaturthi* met mij. Maar we waren niet erg godsdienstig, de feest- dagen hadden meer met lekker eten en drinken te maken, en gezellig bij je vrienden of familie te zijn.

'Kennelijk ben je op zoek naar een type dat aan tradities hecht,' zei ik. Ik stond op van de schommel. 'Ik hecht niet aan traditie.'

Hij schudde zijn hoofd en gebaarde dat ik weer moest gaan zitten. 'Ik hecht niet aan traditie, ik wil gewoon een Indiase.'

'Ik ben ook niet erg Indiaas,' zei ik vlak. Ik bleef staan. 'Laat je door die sari, die *bindi* en de sieraden niet om de tuin leiden. Ik werk hard, ik heb een druk leven. Ik herinner me pas dat het Ugadi is als iemand me dat vertelt. Soms drink ik een glaasje wijn en om het nieuwe jaar in te luiden rook ik een sigaar... Ik–'

Met een grijns hief hij zijn hand op. 'Ik zoek geen *gaonwali*. Ik hoef geen dorpsmeisje. Ik zoek een gelijke. Het maakt me niet uit dat je een paar glaasjes wijn wilt drinken, voor mijn part drink je af en toe een hele fles. Ik wil iemand met wie ik naar Hindi-films kan kijken, iemand met wie ik Indiaas kan zijn. Iemand die de grapjes begrijpt, snap je?'

Nu begreep ik wat hij bedoelde. Ik wist niet meer hoe vaak ik iets voor Nick had vertaald en dat hij me dan fronsend aankeek. Hij begreep sommige typisch Indiase dingen gewoon niet. Maar ik verlangde meer van een relatie dan een gedeeld grapje, een Indiaas cliché. Ik had behoefte aan meer. Ik had behoefte aan Nick.

'Priya Ma.' Nanna kwam naar buiten, ongetwijfeld omdat mijn moeder hem daartoe had aangezet. 'Waarom bied je onze gast niet een kopje *chai* aan?'

'Natuurlijk,' zei ik. Ik keek Adarsh aan. De ontmoeting was nu afgelopen. Op dit gesprekje gebaseerd moesten we een beslissing nemen, een beslissing voor het leven!

'Wil je suiker in je thee?' vroeg ik hem.

'Ik drink nooit thee,' antwoordde Adarsh.

'Koffie dan?' vroeg ik.

'Nee dank je, ik hoef niets,' zei hij. 'Het was leuk om even met je te praten,' voegde hij eraan toe.

Ik lachte naar hem voordat ik wegliep.

Nog voordat ik goed en wel in de keuken was stortte Ma zich op me. 'En? Wat zei hij? En wat zei jij toen? Je hebt toch geen *pitchi-pitchi* opmerkingen gemaakt, hè?'

'Nee Ma, ik heb niets geks gezegd,' mompelde ik. Ik ging op een eetkamerstoel zitten in plaats van naar de keuken te gaan. Mijn hart ging als een razende tekeer. Ik had meegewerkt aan de vernederende ceremonie. Ik, die al met een ander verloofd was, had gepraat met een man die zich als potentiële echtgenoot beschouwde. Het was een belediging aan het adres van Nick, onze relatie, mezelf en ook Adarsh.

'En? Hoe ging het?' vroeg Sowmya.

'Best,' zei ik. De tranen prikten in mijn ogen.

'Vind je hem leuk?' vroeg ze.

'Natuurlijk vindt ze hem leuk,' zei Ma. 'Waarom zou ze hem niet leuk vinden?'

'Radha!' riep mijn vader vanuit de woonkamer. 'Ze gaan weg. Kom even, wil je?'

Ik liep met mijn moeder mee om afscheid van de gasten te nemen. Adarsh lachte naar me en zijn ouders keken de mijne betekenisvol aan toen ze hun zoon zagen lachen naar wat ze dachten dat hun aanstaande schoondochter was.

⌒

To: Nicholas Collins < Nick—Collins@xxxx.com>
From: Priya Rao < Priya—Rao@yyyy.com>
Subject: Het spijt me!

Nick, het spijt me verschrikkelijk!

Ik had je verteld dat ik niet zou meewerken aan de
ceremonie om de bruid te keuren, maar ik heb wel
meegewerkt. Ik heb zelfs met mijn niet-aanstaande man
gepraat. Dat betekent niets, hoor. Ik hoop dat je dat goed
begrijpt. Ik kon er echt niet onderuit. Mijn ouders... Thatha
en de anderen... O, ik heb er zo'n spijt van.

Ik ben zo bang dat je nu niet meer van me houdt en dat
als ik mijn ouders over jou vertel, zij ook niet meer van
me houden. Ik voel me zo alleen. Ik ben in de war en
boos.

Het spijt me dat ik niks kon verzinnen om me eraan te
onttrekken. Ik ga hun vanavond over jou vertellen, meteen
na het avondeten. Beloofd.

Ik hou van je,
Priya

⌒

To: Priya Rao >Priya—Rao@yyyy.com>
From: System Administrator
<Postmaster@yyyy.com>
Subject: Undeliverable: Het spijt me!
Your message
To: Nicholas—Collins@xxxx.com
Subject: Het spijt me!
Sent: Saturday 14:02:21 -0800

Did not reach the following recipient(s):
Nicholas—Collins@xxxx.com on Saturday
14:02:21 -0800
Error: Recipient server not responding

Nummer 65 en de gevolgen van bekentenissen en leugens

Sowmya keek in de spiegel. De sari met de blauwe zoom die ik die middag had gedragen, had ze over haar schouder gedrapeerd. 'Denk je dat ik er net zo leuk als jij zal uitzien?' vroeg ze.

'Leuker,' zei ik.

'Denk je dat hij me net zo leuk zal vinden als Adarsh jou vond?' vroeg ze. Haar ogen fonkelden achter haar dikke brillenglazen. 'Misschien kan ik beter mijn bril niet opzetten, denk je niet?'

'Bril of geen bril, wat maakt het uit?' zei ik. 'En Adarsh vindt me niet leuk. Er is niks leuks aan mij.'

Sowmya legde de sari weg en pakte de saffieren op die ik had gedragen toen ik aan Adarsh en zijn ouders werd getoond. 'Amma zei dat ze me deze geeft als ik ga trouwen. Als die jongen me leuk vindt, kunnen we een dubbele bruiloft hebben. Vind je dat wat?'

Ze deed zo haar best Nick te laten verdwijnen dat ik er geen aanstoot aan nam, maar ik kon het er ook niet bij laten zitten. Er zat een brok schuldgevoel in mijn keel, net de bittere, zachte pit van een rauwe mango. Wat ik ook at of dronk nadat ik de pit had ingeslikt, de smaak bleef.

'Ik ga niet met Adarsh trouwen, Sowmya,' zei ik zacht.

Met een zucht legde ze de sieraden neer en draaide zich van de spiegel in Ammamma's kamer weg om mij aan te kijken. 'Je kunt niet met een buitenlander trouwen, Priya,' zei ze rustig terwijl ze de sari met de blauwe zoom weer oppakte. 'Dat kan gewoon niet. Ze zullen je verstoten. Je moet kiezen.'

Ik haalde mijn schouders op. 'Het is geen afvalrace, Sowmya,' zei ik zelfverzekerd. 'Ik kies altijd voor Nick.'

Zodra ik dat had gezegd, begon ik te twijfelen. Als puntje bij paaltje kwam – en dat gebeurde wanneer ik mijn ouders en Thatha over Nick had verteld – kon ik dan gewoon weggaan en naar Amerika vliegen om met Nick te trouwen? Wat moest er dan met de dochter, kleindochter en het nichtje dat ook in mij school? Kon ik die allemaal slachtofferen om Nicks vrouw te zijn? Ik wist dat ik dat kon, maar het zou een groot offer zijn. En was het goed voor een relatie om op dergelijke offers gebouwd te zijn?

Misschien ging ik over een paar jaar mijn familie missen, en weigerden zij nog contact; zou ik Nick dat kwalijk nemen? Nee, hield ik mezelf voor, ik zou Nick nooit iets kwalijk nemen. Hij belichaamde alles wat ik van een man verlangde, van een echtgenoot, van een vriend. Hij was de ware voor mij. Als hij Indiër in plaats van Amerikaan was geweest, of beter nog een Telugu-brahmaan, zouden mijn ouders en grootouders in de wolken zijn. Ze zouden een grootse bruiloft hebben gegeven en iedereen uitgenodigd die ze maar kenden.

Maar dat alles stond niet te gebeuren. Mijn bruiloft zou stil zijn, ver weg van India en de daar geldende gebruiken.

Ik zou in de Verenigde Staten trouwen, een plek die mijn familie als geschikter zou beschouwen voor zo'n huwelijk waar geen zegen op rustte. De honderden vrienden van Ma, Nanna en Thatha en de rest van mijn familie zouden er niet bij zijn, alleen Nick, zijn familie en onze vrienden. Zou ik het erg vinden verstoken te blijven van de telefoontjes met mijn familie die de afgelopen zeven jaar een groot deel van het weekend in beslag hadden genomen?

Elk weekend belde ik naar huis, of als mijn ouders bij Thatha waren belde ik daar naartoe. Ik keek ernaar uit om mijn familie zaterdagavond te bellen, soms al op vrijdagavond als Nick en ik thuis bleven. Zou ik de hoge telefoonrekening aan het eind van de maand missen?

Ma liep Ammamma's kamer in. Geërgerd hief ze haar handen. 'Wil jij nu ook die vreselijke sari aantrekken, Sowmya?' vroeg ze. 'Priya zag eruit als een omaatje, jij zult eruitzien als een overgrootmoeder. Trek toch die gele sari met de rode bies aan!'

Sowmya keek teleurgesteld. 'Maar Akka, ik vind die blauwe–'

'Trek die met de rode bies aan,' beval Ma. 'Of wil je nóg vijfenzestig keer deze ceremonie doormaken?'

'Ma!' riep ik uit. Dat was een wrede opmerking van Ma, maar ze wuifde het weg en zei: 'Stil. Wat weet jij er nou van? Je bent hier nog maar net, maharani, en je boft dat de zoon van Rijst Sarma ook net hier was. Sowmya boft veel minder.'

Sowmya duwde haar bril goed.

'Ma,' zei ik weer. Ik schaamde me dood, maar weer legde Ma me het zwijgen op.

'Oom Mahadevan heeft je vader gebeld. Het ziet ernaar

uit dat er morgenochtend besprekingen komen,' zei Ma. Ze keek me triomfantelijk aan, ze daagde me uit deze prijsstier te weigeren.

Met wijd opengesperde ogen keek ik haar aan. 'Wat voor besprekingen?'

'Over de veeteelt!' reageerde Ma verontwaardigd. 'Huwelijksbesprekingen, Priya. Zo gaat dat hier. We ontvangen de familie van de jongen en daarna komt er een aanzoek en daar gaan we op in.'

'Wacht even... Wie zegt dat ik met hem wil trouwen?' vroeg ik.

Sowmya stak haar handen op. 'Akka, ze komen al gauw en Priya moet me helpen. Neelima is met Anand weggegaan, ze komen morgen pas terug. Ik heb Priya nu echt nodig.'

Ma keek van mij naar Sowmya. 'Priya, ik heb je al gezegd, geen *nakhra's*. Je vader staat dat misschien toe, maar ik niet. Als je zo doorgaat, krijg je er met mijn sandaal van langs.'

Ik knipperde met mijn ogen en schudde mijn hoofd. Op zo'n dreigement reageerde ik niet.

'Vergeet niet wat ik heb gezegd,' zei Ma onheilspellend voordat ze wegging.

'Ze denkt dat ik nog een klein kind ben dat je kunt slaan,' mopperde ik. 'Waarom denken Indiase ouders toch dat ze met een pak slaag hun kinderen op de knieën krijgen?'

'Omdat het zo is,' antwoordde Sowmya wijs. 'Zeg, denk je dat ik er in die geel met rode sari leuk uitzie?' Ze drapeerde die sari over haar schouder.

De 'jongen' die voor Sowmya kwam was zeker geen prijs-stier. Hij heette Vinay en hij praatte zacht zoals dat bij zijn naam paste. Verder was hij absoluut geen Man van je Dromen. Zijn huid was erg donker (donkerder dan de mijne), hij was tamelijk klein (maar toch een paar centimeter langer dan Sowmya), hij had een bril met net zulke dikke glazen als zij, en hij had ook nog een kale plek op zijn hoofd die hij op de klassieke maar niet erg doeltreffende manier poogde te verdoezelen door zijn haar er-overheen te kammen.

Sowmya zette zijn ouders en hem bajji en ladoo voor terwijl ik voor de thee zorgde. Ik had er geen bezwaar tegen behulpzaam te zijn, want Vinay kwam voor Sow-mya en niet voor mij. Vinays ouders leken erg aardig, ze waren beleefd en stelden geen pijnlijke vragen. Vinay was vijfendertig en op zoek naar een huiselijke en godsdienstige vrouw. Niet te godsdienstig, ze moest gewoon weten hoe je een puja verrichtte en ze moest zich aan de *madhi* houden. Sowmya voldeed aan beide voorwaarden. Toen Sowmya's grootmoeder – mijn overgrootmoeder – nog leefde, werd Sowmya altijd gevraagd zich aan de madhi te houden; dat hield in dat ze zich moest baden voordat ze ging koken. Ze mocht niets anders aanraken of doen, en het liefst moesten haar kleren nat zijn. Sowmya weigerde in natte kleren te koken zoals mijn overgrootmoeder wilde, maar ze wist alles van godsdienstige voorschriften en gebruiken.

Ze wilden geen schoondochter die buitenshuis werkte, zeiden Vinays ouders. Ze wilden al gauw kleinkinderen. O, en Vinay was nog ongehuwd omdat hij het eerst te druk had met carrière maken. Zo druk kon hij het daarmee niet hebben gehad, dacht ik, want hij was docent aan een obscure technische school.

Terwijl ik voor de thee zorgde, zat Sowmya zedig haar gelakte nagels te bestuderen terwijl ze met de gele franje aan de rode zoom van haar sari friemelde.

'Bespeel je een instrument?' vroeg Vinay aan Sowmya.

Ze knikte. 'Ik bespeel de veena,' antwoordde ze.

Jayant had de veena net die ochtend uit de berging gehaald en Sowmya en ik hadden hem schoongemaakt. Thatha had uit betrouwbare bron vernomen dat de 'jongen' erg op muziek was gesteld, en omdat Sowmya de veena kon bespelen, vond iedereen het een goed idee die achter de hand te hebben.

Ik glipte de woonkamer uit en ging naar de achtertuin toen Sowmya begon te spelen. Terwijl de noten door het huis weerklonken, werd het duidelijk dat het geen goed idee was geweest de veena te voorschijn te halen. Sowmya had het instrument ruim drie jaar niet meer aangeraakt, ze had beter eerst kunnen oefenen. Veel oefenen.

Ik trof Nate in de tuin aan waar hij naast een *tulasi*-plant zijn schoenveters strikte.

'Wat doe jij nou?' vroeg ik.

'Ik ga naar huis,' zei hij zonder me aan te kijken.

'O.'

Hij stond op en keek me recht aan. 'Je moet het hem vertellen, Priya. Dat moet je echt doen.'

'Ik heb het hem verteld,' zei ik, en toen hij me wantrouwig aankeek, flapte ik de waarheid eruit. 'Het mailtje kwam onbestelbaar terug, maar straks stuur ik hem er nog een. Of ik bel om het hem te vertellen. *Ottu*, beloofd. Echt.'

Nate schudde zijn hoofd.

'En ook al vertelde ik het hem niet, dan nog zie ik het probleem niet. Ik ga heus niet met die Adarsh trouwen of zo,' zei ik strijdlustig.

'Nee, maar iedereen denkt dat je dat wel van plan bent,' merkte Nate op. 'Kijk, het zijn mijn zaken niet, maar ik vind dat... Ik snap niet waarom je wacht. Straks doen ze een aanzoek, en wat doe jij dan? Nog steeds niets?'

Sowmya hield op met het bespelen van de veena, net op het moment dat ik tegen Nate wilde uitvallen. Wie dacht hij wel dat hij was? Een *laat-sahib,* de grote baas die het allemaal zo goed wist?

'Ik voel me er gewoon rot onder,' zei hij voordat ik tegen hem tekeer kon gaan. 'Ik wilde dat ik iets voor je kon doen, Priya, maar ik ga maar gewoon naar huis en daar genieten van het feit dat Ma er niet is.'

'Ik bel je zodra...' zei ik. Ik wist dat hij eerlijk tegen me was omdat hij om me gaf.

'Je gaat Nanna's hart breken,' zei Nate. 'Dat zal moeilijk zijn.'

'Ja, en dat van Thatha,' zei ik. 'Maar wat moet gebeuren–'

'Priya?' Lata kwam naar buiten. Ik beet op mijn lip. Wat had ze allemaal gehoord? Hadden we iets gezegd wat belastend was?

'Ze gaan weg, je moeder wil dat je komt,' zei ze. Toen lachte ze naar Nate. 'Ga je weg, Nate?'

'Ja,' zei Nate achteloos. Hij knipoogde naar me voordat hij ging.

'Hij is zo afstandelijk,' klaagde Lata. 'Alsof we niet goed genoeg zijn.'

'Hij is nu eenmaal op zijn eigen gezelschap gesteld,' kwam ik meteen voor Nate op. 'Dat is niet afstandelijk.'

'Kom nou toch, hij leeft in zijn eigen wereldje, hij is helemaal niet in zijn familie geïnteresseerd,' zei Lata. Ze slaakte een zucht. 'Natuurlijk vind jij dat er niets mis met hem is, jij bent zijn zus.'

'Er ís niets mis met hem,' reageerde ik getergd.

De familie was niet op Nate gesteld. Het was of hij meer de zoon van Nanna was dan van Ma. Zelfs Thatha was meer op mij gesteld dan op Nate. Waarschijnlijk kwam het doordat Nate veel met zijn vrienden optrok en liever alleen was dan bij zijn familie. Nanna zei altijd dat hij dat Nate niet kwalijk kon nemen. 'Híj is niet met je moeder getrouwd, híj hoeft niet aldoor in het huis van haar ouders rond te hangen.'

En om eerlijk te zijn, Nate deed geen moeite om vriendschap met Thatha, Ammamma of iemand anders te sluiten. Af en toe praatte hij met Anand, met hem kon hij redelijk goed opschieten, maar wat Nate betrof kon de rest van de familie opvliegen. Dat zei hij vaak.

⁓

Nadat de gasten waren vertrokken, kwamen we allemaal in de woonkamer bij elkaar. Thatha deed zijn tabakszak open en wreef een beetje tabak in zijn hand. 'Aardige familie, hè Sowmya?'

Sowmya knikte.

Ammamma sloeg met haar hand op de leuning van de bank. 'Heel aardig. Als dit goed uitpakt... Dat zal een hele opluchting voor ons zijn. Ik kan niet op de bruiloft wachten. Tien jaar... tien lange jaren. Nu wil ik mijn Sowmya getrouwd zien.'

'Ze zullen een bruidsschat willen,' zei Jayant. 'Weten jullie wat ze op het oog hebben?'

Thatha legde de tabak op zijn onderlip en zoog de pruim naar binnen. 'Van wat ik over hen heb gehoord, zijn ze niet inhalig. Wat ze vragen, krijgen ze... Natuurlijk als het redelijk is.'

Sowmya speelde met de gouden armband om haar arm. 'Hij woont bij zijn ouders,' zei ze zacht.

'Nou en?' vroeg Thatha meteen.

Sowmya haalde haar schouders op.

'Wat is daarmee? Wil je niet voor zijn ouders zorgen?' vroeg Thatha terwijl hij luidruchtig op de pruimtabak kauwde. 'Sowmya?' vroeg hij toen ze geen antwoord gaf.

'Nee, dat is het niet,' zei ze, bijna in tranen.

'Is dat een probleem, Sowmya?' vroeg Thatha.

'Nee,' zei ze na een korte aarzeling.

We wisten allemaal dat ze loog.

⁓

'De bruidegoms staan niet bepaald in de rij, toch?' zei Lata zo aardig als ze kon tegen Sowmya. We waren met zijn drieën in de keuken. 'En zijn ouders lijken heel aardig.'

Sowmya haalde haar schouders op. Ze perste het sap uit een tamarindevrucht die in water had liggen weken. 'Priya, gróte stukken. We moeten voor de *sambhar* gróte stukken tomaat hebben,' zei ze tegen me. Ze gooide de stukjes tomaat die ik had gesneden in de gootsteen. 'Je weet niks van koken, Priya,' klaagde ze. 'Je moet dat echt leren... Anders dan... Anders moet je mijn keuken maar uit.'

Ik wilde graag háár keuken uit. Even was daar die speldenprik van trots die het ego wilde beschadigen. Ik zei maar niets.

'Ik zal het goed doen,' beloofde ik. Ik sneed de tomaten in grote stukken. 'Zo goed?'

Sowmya knikte zonder me aan te kijken.

'Het is een aardige jongen,' zei Lata terwijl ze opkeek van de uien die ze schilde.

'Hij is vijfendertig, donker, hij wordt kaal en wil een bruidsschat,' zei Sowmya. De tranen blonken in haar ogen. 'En hij wil een vrouw die voor zijn bejaarde ouders zorgt. Heb ik nog niet genoeg gedaan? Voor hoe veel mensen moet ik nog zorgen? En ik dan? Wie zorgt er voor mij?' De tranen biggelden over haar wangen.

Ik had haar graag willen troosten, maar ik wist niets te zeggen. Moest ik haar soms vertellen dat ze maar op nummer 66 moest wachten, dat ze dan misschien meer geluk had?

Sowmya ging op de grond zitten en verborg haar gezicht in haar handen. 'Hij vraagt of er een probleem is,' snikte ze. 'Er zijn altijd problemen... Ik ben het probleem. Ze kunnen niet wachten me kwijt te zijn, dat zegt ze steeds.'

'Zo bedoelen ze het niet,' zei ik slap.

'Wat weet jij er nou van?' beet Sowmya me toe. 'Jij hebt een man met een Mercedes die met je wil trouwen, en je hebt ook nog een Amerikaanse vriend die met je wil trouwen. Jij kunt kiezen en...' Ze zweeg toen ze de geschokte uitdrukking op mijn gezicht en dat van Lata zag.

'Amerikaanse vriend?' vroeg Lata. Ze pikte het belangrijkste eruit.

'Ja,' kwam ik er rond voor uit. Het had nu geen zin meer om te liegen. De tijd was gekomen. Ik had het meteen moeten vertellen, zodra ik in India aankwam. 'Maar vertel het alstublieft aan niemand,' smeekte ik. 'Ik wil het zelf vertellen.'

Lata knikte en hief toen haar handen op. 'Jullie meisjes maken ons leven erg moeilijk,' zei ze boos. 'Toen ik ging trouwen ging het allemaal heel makkelijk. Je nam gewoon de eerste bruidegom die jou wilde. Maar bij jullie–'

'Ik heb geen nee gezegd, Lata,' merkte Sowmya op.

'Weet ik,' zei Lata met een zucht. 'Wat hebben we ook voor keus? Kijk eens naar mij, voor de derde keer zwanger omdat je vader een kleinzoon wil, en zodat Jayant kan denken dat hij zijn vader nader staat dan Anand, en dat wanneer de ouwe sterft hij ons meer nalaat dan hij van plan was. Wat hebben wij vrouwen toch een rotleven...'

'We hebben wel een keus,' zei ik.

'Nee,' zei Sowmya. Ze stond op. 'Nee, we hebben geen keus. Als ik had kunnen kiezen, had ik een baan, werkte ik buitenshuis. Misschien had ik dan wel iemand leren kennen... Maar Nanna wilde er niet van horen.'

'Jíj hebt de keus,' zei Lata terwijl ze me aankeek. 'En je maakt er een potje van. Een Amerikaanse vriend?'

'Ik was het niet van plan.' Ik vertelde haar wat ik Sowmya ook had verteld. 'Het gebeurde gewoon.'

'Ben je met hem naar bed geweest?' vroeg Lata.

'Daar heb je niets mee te maken,' zei ik zonder erbij na te denken. 'Dat is privé.'

'Voor vrouwen is niets privé,' droeg Sowmya haar steentje bij. 'Mijn vader weet precies wanneer ik ongesteld ben omdat ik het dan moet uitzitten. Ze weten wie met me praat en wie niet, ze weten naar welke film ik ga en met wie, ze weten tot op de *paisa* wat ik ergens aan uitgeef. Een privé-leven? Laat me niet lachen!'

Ik had Sowmya nog nooit zo tekeer horen gaan, maar ik had haar dan ook nooit als een vrouw met gevoelens gezien, alleen als Sowmya, het pispaaltje. Degene die je alles kon opdragen, degene die alles maar toestond. Ik denk dat we allemaal waren vergeten dat er achter die dikke brillenglazen een intelligente vrouw verscholen zat. Geen aanstaande bruid, maar een volwassen vrouw die net zo kwaad op de wereld was als ik, maar die meer recht had om woedend te zijn.

Ik vond de Indiase gebruiken weerzinwekkend, maar ik hoefde er niet mee te leven; Sowmya en Lata wel. Ik leidde een veel prettiger leven, ik had aantrekkelijker keuzes. Mijn ouders hadden me dit leven geschonken, ik was het hun verschuldigd de waarheid over mezelf te vertellen. Ze moesten snel van Nicks bestaan op de hoogte worden gebracht, want juist vanwege Nick kon ik niet met Adarsh of een andere knappe Indiase 'jongen' trouwen.

⌒

'Waar is Natarajan?' vroeg Ammamma. Thatha en Ammamma noemden Nate altijd voluit Natarajan. Ze vonden 'Nate' te Engels, en trouwens, waarom een mooie godennaam als Natarajan veranderen?

'Hij moest studeren, daarom is hij naar huis gegaan.' Nanna verzon een smoesje. 'Hij wil vooruit leren, voor volgend studiejaar.'

'Wat werkt die jongen toch hard,' zei Ammamma die erin trapte. 'Kijk Priya, dat is nou het soort jongen met wie meisjes willen trouwen. Adarsh is ook zo iemand. Zijn moeder vertelde me dat hij elke dag tot vier uur 's nachts zat te leren voor het toelatingsexamen van BITS Pilani. Jongens die hard werken zijn goede echtgenoten.'

Ten eerste kent BITS Pilani in tegenstelling tot alle andere soortgelijke instituten geen toelatingsexamen. Je wordt toegelaten op basis van de resultaten bij het examen na de 12e klas. Ten tweede snapte ik niet wat hard werken te maken had met een goede echtgenoot zijn. Ik kende een paar mannen op mijn werk die hard werkten, maar echtgenoten van niks zouden zijn.

'Geef de sambhar eens door, Priya Ma,' zei Nanna. Nieuwsgierig keek hij me aan. 'En, wat vond je van Adarsh?'

'Hoe bedoel je, wat vond ze van hem?' vroeg Ma. 'Ze–'

'Radha, ik wil weten wat ze van hem vond,' viel Nanna haar in de rede. Het was een trucje; hij wist best dat ik niet eerlijk mijn mening kon geven waar iedereen bij was.

'Ik weet het niet,' zei ik naar waarheid. 'Ik heb tien minuten met hem gesproken. Ik weet niet hoe hij echt is.'

Ma vertrok haar gezicht en keek me kwaad aan.

'Nee echt,' zei ik. 'Jullie verwachten dat ik met hem trouw en ik krijg nauwelijks de kans om met hem te praten of daar komt Nanna vragen of hij thee wil.'

'Hoe lang heb je nodig?' vroeg Thatha. 'Een hele dag? Een jaar? Priya, tijdens het huwelijk leer je iemand pas kennen.'

'Daar denk ik heel anders over,' zei ik. 'Ik wil niet het risico lopen met de verkeerde te trouwen omdat de traditie zegt dat ik hem voor de bruiloft niet mag leren kennen.'

'Dat risico liepen we allemaal en het is steeds goed uit-gepakt,' zei Ammamma.

Ik schudde mijn hoofd. 'Toe, ik wil het er nu niet over hebben.'

'Waarom niet?' vroeg Ma.

Ik wilde haar dat net vertellen toen precies zoals in de film de telefoon ging. Sowmya stond op en liep de gang in om op te nemen. Het was voor mijn vader.

Nanna kwam met een stralende lach terug. 'Ze hebben ja gezegd,' zei hij. Opgetogen keek hij me aan, en ik voelde me alsof ik een mand rauwe mango's over me uitge-stort kreeg.

Mango's en tomaten gaan niet samen

Iedereen was tijdens het avondeten heel opgewonden, ze maakten plannen voor de bruiloft en zeiden dat het allemaal erg snel geregeld moest worden. Sowmya, Lata en ik zaten er stilletjes bij, we keken elkaar aan. Dit had ik nooit verwacht, maar ineens stonden Lata en ik aan dezelfde kant terwijl Nanna aan de kant van de slechteriken was beland.

'De twee volgende dagen zijn voor de *tamboolalu*, en dan is de datum voor de bruiloft...' zei Nanna. Hij keek me aan, zoekend naar een reactie.

'Och, Priya kan best nog wat langer blijven,' zei Ma, opgetogen dat haar voorbereidingen vrucht hadden afgeworpen. 'Nou, Priya, je Amerikaanse baas geeft je toch wel vrij voor je bruiloft?'

'Nu moet Vinay nog ja zeggen tegen Sowmya,' zei Ammamma. Haar onderkinnen trilden als drilpudding. 'Een dubbele bruiloft... Ach, een dubbele bruiloft.'

Ma boog zich naar me toe en fluisterde: 'Ze willen een dubbele bruiloft om de kosten te drukken, maar dat gebeurt niet, hoor. Mijn dochter krijgt een grootse bruiloft,' zei ze. Ze lachte en drukte een kus op mijn voorhoofd. Ik denk dat ze blijer was voor zichzelf dan voor mij. 'Een grootse bruiloft,' zei ze blozend van opwinding.

Haar blijdschap maakte me misselijk. Het bloed gonsde in mijn oren; ik kon horen wat er werd gezegd, maar het drong nauwelijks tot me door. Had de jongen ja gezegd? Waarom? Ik had toch mijn best gedaan hem af te stoten?

'In dat nieuwe zalencomplex,' zei Jayant. 'Waar die actrice... Hoe heet ze ook alweer, Lata?'

'We moeten nieuwe sari's hebben,' zei Ammamma. 'Er is geen tijd om naar Madras te gaan... Dan maar naar Chandana Brothers.'

'De sieraden heb ik al,' zei Ma. 'Alles is klaar...'

'Priya Ma,' hoorde ik Nanna zeggen. Er knapte iets. Deze man hield van me, hij had er recht op de waarheid te weten.

'Ik kan niet met Adarsh trouwen,' zei ik toen de laatste hand in de roestvrijstalen en verzilverde borden was gewassen. 'En ook niet met iemand anders die jullie in gedachte hebben,' zei ik, iets harder nu om boven Ma's tegenwerpingen en verwensingen uit te komen. 'Ik ben naar India gekomen om jullie te vertellen dat ik van een Amerikaan hou en dat ik met hem ga trouwen. We zijn verloofd.' Ik liet de fonkelende diamant aan mijn vinger zien. Die had ik aangedaan na de pelli-chupulu.

Er viel een diepe stilte waarin alleen het gezoem van een mug te horen was. Toen barstte iedereen tegelijk los.

Nanna stond wankelend op. 'Je hebt me diep gekwetst, Priya Ma,' zei hij. Hij liep de eetkamer uit, de gang door en het huis uit. Ik hoorde het hek knarsend dichtslaan, daarna hoorde ik de motor van zijn oude Fiat starten.

En met die woorden brak Nanna mijn hart. De tranen die ik had weggeknipperd, stroomden nu over mijn wangen. Nate had gelijk gehad, het was moeilijk het Nanna te vertellen. Het was nog moeilijker Thatha daar stijf rechtop te zien zitten, de uitdrukking op zijn gezicht niet te duiden. Voor mijn vader en grootvader had ik de hellepoort opengezet. Dit beschouwden ze vast en zeker als de ergste vorm van verraad.

'Een Amerikaan?' vroeg Ma ontzet. 'Een Amerikaan?' herhaalde ze. Ze had het al een paar keer gezegd, alsof ze het door het te herhalen kon veranderen.

Ik hielp Sowmya de tafel af te ruimen. Ammamma maakte geluidjes en Jayant dronk stilletjes uit zijn glas.

Ik wist dat dit de stilte voor de storm was. Dit was het stille moment waarna alles anders zou zijn. Het was gebeurd, en nu was ik bang dat ze niet meer van me hielden. Ze zouden zeggen dat ik weg moest, net zoals dat in films gebeurde, en ik mocht nooit meer een voet over de drempel zetten.

Ik bleef in de deuropening naar de keuken staan. Sowmya en Lata spoelden de borden af en fluisterden druk met elkaar.

'Dat je een ring draagt, wil nog niet zeggen dat je verloofd bent,' zei Ma gespannen. 'Deze jongen... Adarsh is ideaal. Voordat je weggaat trouw je met hem. Punt uit. Je vergeet die Amerikaan en–'

'Zo eenvoudig ligt het niet, Ma,' overstemde ik haar. In de keuken hielden de geluiden van klaterend water en rammelende borden op, en toen ik niets meer zei, werden ze weer hervat.

Iedereen zweeg terwijl Lata en Sowmya de borden, glazen en lepels in het plastic teiltje afspoelden zodat Parvati ze de volgende dag kon afwassen.

Ik hielp Sowmya het teiltje naar de achtertuin te dragen.

'En nu?' vroeg ik onzeker.

Sowmya lachte. 'Nu komt er een familie *Mahabharatam*.'

Ik leunde tegen de kuip van de tulasi-plant, ik wilde liever niet terug naar binnen. In golven kwam de spanning het huis uit, het werd een ware orkaan. Ik plukte een blad van de plant en stopte dat in mijn mond om maar niet die zurige smaak van de angst te proeven.

'Ze schoppen me eruit, of ze binden me vast om me aan die Adarsh uit te huwelijken,' zei ik. 'Stel dat ze me nooit meer willen zien?' vroeg ik. Weer sprongen de tranen in mijn ogen. 'Sturen ze me gewoon weg?'

Sowmya pakte mijn hand. 'Nee,' zei ze. 'Niemand stuurt je weg. Eerst zijn ze woedend op je, maar ze draaien wel bij.'

Lata kwam naar buiten en vroeg of alles in orde was.

'Ze is bang,' zei Sowmya medelevend.

'Dat snap ik,' reageerde Lata. 'Zodra je moeder van de ergste schrik is bekomen, krijg je een pak slaag van haar.'

Ik zuchtte.

'En je Thatha... Nou, die komt kijken,' ging Lata met een grijns verder. 'In ieder geval is het nou gezegd. Laat nu maar gebeuren wat er moet gebeuren.'

'Laten we naar binnen gaan,' stelde Sowmya voor. 'Anders denken ze nog dat je bent weggelopen.'

Weglopen klonk eigenlijk heel aanlokkelijk.

Iedereen zat in de woonkamer toen we binnenkwamen. Er was geen spoor van Nanna. Hij was nog nooit weggegaan zonder te zeggen waar hij naartoe ging, ook al was hij nog zo van streek en had hij nog zo'n ruzie met Ma gehad. Dit was heel ongebruikelijk, maar het was dan ook niet iedere dag dat zijn lievelingsdochter zijn dromen in duigen liet vallen en de stukken ook nog met haar puntige schoentjes vertrapte. Ook al ging dit om mijn eigen leven en wist ik dat ik dat moest leiden zoals ik dat wilde, ik voelde me toch vreselijk schuldig. Het schuldgevoel woog zwaar op me, als een rotsblok. En er was meer waarover ik me schuldig voelde. Nick maakte deel uit van mijn leven, hij accepteerde me met fouten en al, en ik voelde me schuldig omdat ik van hem hield en met hem samenwoonde. Ergens wenste ik dat hij niet bestond, zodat ik met Adarsh of zo iemand kon trouwen en niet in conflict met mijn ouders was.

'Dus we vertellen de Sarma's dat je ja zegt?' Ma was geagiteerd, ze bloosde en klonk opgewonden. Ik denk dat ze bang was, bang dat ik het echt meende van die Amerikaanse vriend. Mijn hart ging naar haar uit. Net als Sowmya deed ze haar best Nick te laten verdwijnen.

'Nee Ma, dat kan niet,' zei ik. Ik ging naast haar zitten.

Ze gaf me een klap in mijn gezicht. Tranen biggelden over haar wangen. 'Hoe kon je, Priya? We hebben je alles bijgebracht... We hebben je goed opgevoed en... Hoe kón je, Priya?'

Ik verborg mijn gezicht in mijn handen. Dit was net zo vreselijk als ik had gedacht. Ik drong mijn tranen terug door hard tegen mijn ogen te drukken.

'Het spijt me,' zei ik tegen Ma. Ik keek haar recht aan. 'Het was niet mijn bedoeling van Nick te gaan houden, het gebeurde gewoon. En ik kan niet met een ander trouwen. Ik trouw alleen met Nick.'

'Dan had je dat eerder moeten zeggen,' zei Jayant. Hij keek al net zo geagiteerd als Ma. 'Wat zullen de Sarma's wel niet zeggen? Je hebt ons allemaal in een beschamende positie gebracht.'

Ik had willen zeggen dat ze me tot die pelli-chupulu hadden gedwongen, dat ze me daar de schuld niet van konden geven, maar dat zei ik niet omdat ík wel gedeeltelijk de schuld bij mezelf legde. Als ik hun eerder over Nick had verteld, zouden ze het hebben afgeblazen. Zelfs als Ma en Thatha dat niet hadden gewild, zou mijn vader dat zeker hebben gedaan.

'Je brengt schande over ons allemaal,' droeg Ammamma haar steentje bij. 'Een Amerikaan? Anand is tenminste nog met een Indiase getrouwd... Maar jij haalt onze goede naam door het slijk. Het is nog niet te laat, Priya. Vergeet die Amerikaan, die Nicku-Bicku, en trouw met die jongen Sarma. Aardige jongens als hij zijn moeilijk te vinden.'

Ik wachtte tot Thatha iets zou zeggen, maar er kwam niets. Hij zat nog net zo stijf rechtop als eerst, hij staarde voor zich uit. Ik wilde maar dat hij iets zou zeggen, gaf niet wat. De twee mensen die ik het ergst vreesde te kwetsen, waren diep gekwetst, en zij waren degenen die het minste zeiden; ze hadden nog geen woord uitgebracht.

'Wanneer wilde je met die Nick gaan trouwen?' vroeg Ma.

'Dit jaar nog,' antwoordde ik. 'Ik wist dat jullie het er niet mee eens zouden zijn–'

'Niet mee eens?' barstte Ma los. 'Het maakte je geen moer uit of we het ermee eens zijn of niet. Het maakte je niet uit of onze goede naam door het slijk wordt gehaald. Je bent egoïstisch, Priya, je denkt alleen aan jezelf. We hadden je nooit ongehuwd naar Amerika moeten laten gaan. Je vader en ik zijn te lief geweest, en jij hebt daar misbruik van gemaakt.'

Daar had ik allemaal zelf ook al aan gedacht, en daarom voelde ik me nog schuldiger.

Een paar van mijn medestudenten uit India waren in de Verenigde Staten met 'jongens' getrouwd, en ik en nog een paar anderen niet. Onze ouders hadden een huwelijk niet als voorwaarde gesteld om van huis te mogen. Ze hadden dat wel kunnen doen, maar kozen daar niet voor. Ze hadden erop vertrouwd dat ik heel goed voor mezelf kon zorgen, dat ik niet van een buitenlander zou gaan houden. Ik had hun vertrouwen beschaamd. Zoiets had Ma ook gezegd toen ze het over het huwelijk van Anand met Neelima had. Wat moet je doen als ze je vertrouwen beschamen... Ik had hun vertrouwen beschaamd.

'Ik heb het niet expres gedaan,' riep ik uit. 'Ma, zulke dingen gebeuren nu eenmaal. Het spijt me dat je het afkeurt, dat je vindt dat ik jullie vertrouwen heb beschaamd, maar het gaat om míjn leven en ik moet mijn eigen leven leiden. Jullie kunnen dat niet voor me doen... Ik wil gelukkig zijn, jullie kunnen niet in mijn plaats gelukkig zijn. En om gelukkig te zijn, moet ik met Nick trouwen. Zo eenvoudig is dat.'

'Niets is eenvoudig.' Eindelijk zei Thatha iets. 'Denk je soms dat een huwelijk met een buitenlander over rozen gaat?'

Ik schudde mijn hoofd. 'In elke relatie is weleens iets. Dat hoort erbij.'

'Maar in deze relatie zullen meer problemen voorkomen dan in de meeste,' zei Thatha zelfverzekerd. 'Je zult geen steun aan je familie hebben. Ik weet niets van zijn familie, maar zij zullen er ook niet blij mee zijn. Dat kan niet anders.'

'Maar dat zijn ze wel, Thatha,' zei ik. 'Ze zijn echt blij. De familie van Nick houdt van me. Ze accepteren me, het maakt hen niet uit dat ik Indiase ben.'

'Dan zijn ze niet eerlijk,' stelde Thatha vol zelfvertrouwen vast. Hij kon niet begrijpen dat er een wereld bestond waar mensen niet de huidskleur als maatstaf hadden.

'Ze zullen je nooit helemaal accepteren,' ging Thatha verder. 'En dan? Dan ben je getrouwd met een man die je familie, die je wereld niet accepteert en wiens familie jou met tegenzin accepteert. Ik kan je nu al zeggen dat als je met die Amerikaan trouwt, je huwelijk op een scheiding zal uitlopen.'

Ik was geschokt dat hij zo wreed kon zijn. Het was wreed te zeggen dat mijn huwelijk geen kans van slagen had. Het was wreed te zeggen dat hij me liet vallen als ik met Nick trouwde. Het was wreed en harteloos, en hij raakte me precies waar hij me wilde raken.

'Dat risico moet ik dan maar nemen,' zei ik dapper. Ik stond op. 'Moet ik nu meteen het huis uit?'

'Priya!' riep Ma uit.

Thatha schudde zijn hoofd. 'Nee. Je bent nog steeds mijn kleindochter.'

Ik knikte.

'Maar het zal op niets uitlopen, Priya. Mango's en tomaten gaan niet samen,' waarschuwde hij. 'Je kunt twee culturen niet vermengen zonder dat je er een potje van maakt. Ik zeg dit omdat ik van je hou. Vergeet die Amerikaan. Ze zijn heel anders dan wij. Ze zullen ons nooit leren begrijpen. Trouw met Adarsh. Dat is een aardige jongen en je maakt er je familie gelukkig mee.'

Ik schudde mijn hoofd.

'Nee, nee...' zei Thatha met een geforceerd lachje. 'Neem geen overhaaste beslissing. Neem er de tijd voor. We hoeven morgenmiddag pas iets tegen Sarma-garu te zeggen.'

Ik nam maar niet de moeite hem te zeggen dat mijn besluit vaststond. Net als mijn vader even daarvoor liep ik het huis uit, de zwoele nacht in. Niemand riep me terug om me te waarschuwen dat het 's nachts buiten gevaarlijk was. Het was nog pas negen uur en de hemel was al diepzwart. Rond de wolken herinnerden vurige vegen nog aan de zon.

Ik ging naar de telefooncel van waaruit ik Nick een paar uur geleden had gebeld. Ik toetste het nummer van mijn ouderlijk huis in. Nadat de telefoon vier keer was overgegaan, nam Nate op.

Ik snikte en kon geen woord uitbrengen.

Een kwartier na mijn hysterische telefoontje verscheen Nate op zijn motorfiets bij de telefooncel. Hij had een Yamaha, die had hij vorig jaar voor zijn achttiende verjaardag van mijn vader en grootvader gekregen, ondanks Ma's vurige protesten. Ze was ervan overtuigd dat Nate op zijn Yamaha dodelijk zou verongelukken, ze had een echte hekel aan het ding. Ik had hem een helm opgestuurd, en dat stak Ma omdat ze vond dat ik hem aanmoedigde, maar het deed haar ook plezier omdat ze wist dat Nate met een helm op veiliger was.

'Ik weet ergens waar ze verrukkelijke ijsjes hebben,' zei Nate toen ik achter hem plaatsnam.

'Nate, rij alsjeblieft voorzichtig, anders gaan we allebei dood,' gilde ik bijna toen Nate over de hobbelige wegen van Hyderabad reed, Misschien had Ma toch gelijk...

De ijssalon was net iets uit een Hollywoodfilm uit de jaren vijftig. Er was een jukebox, in de hoek stond een rode rammelkast, en uit volle borst zong Enrique Iglesias huilerig dat hij zijn liefde voor een meisje niet kon bedwingen.

'Nate,' zei ik beschaamd, 'je hebt me toch niet naar een hangplek voor tieners gebracht?'

'Jawel,' zei hij. 'Ik dacht dat je misschien kennis met Tara wilde maken.'

Ik snifte. 'Tara?'

'Mijn vriendin...'

'Ik weet wie Tara is,' zei ik. Hij moest niet denken dat ik dat was vergeten. 'Maar ik moet steeds janken, straks denkt ze nog dat ik een huilebalk ben.'

'Dat denkt ze al,' zei Nick met een knipoog. Hij zwaaide naar een leuk meisje dat aan een tafeltje voor ons zat. 'Is ze niet mooi?' vroeg hij theatraal.

'Nou en of,' zei ik met een grijns. Deze kant van Nate kende ik nog niet, het beviel me zeer.

'Hoi, ik ben Tara,' zei Tara geestdriftig.

'Hoi. Ik ben Priya,' zei ik. Ik wist niet wat ik tegen haar moest zeggen. Ik stak mijn hand uit en zij schudde die.

'En, hoe is het met je?' vroeg Tara. 'Zijn je ouders erg kwaad omdat je een Amerikaanse verloofde hebt?'

Nou, ze draaide er niet omheen, dacht ik kritisch. Als oudere zus was het mijn taak ieder meisje of vrouw af te keuren dat Nate leuk vond, met wie hij iets had of met wie hij wilde trouwen.

'Ze kunnen de pot op,' zei Tara voordat ik iets kon zeggen. 'Je leeft maar één keer... Geen tweede kans, hoor. *Kiskis ka khyaal rakhenge, haan?* Wie, wie zullen we gelukkig maken? Dus moeten we een keuze maken. Je moet jezelf gelukkig maken.'

'Zo eenvoudig is het niet.' Ik herhaalde wat ik Ma die avond had gezegd.

'Natuurlijk niet, dat zou het te gemakkelijk maken,' reageerde ze met een grijns. 'Nate zei dat je gek bent op *pista kulfi.* Hier hebben ze de verrukkelijkste kulfi. Weet je wat, ik haal kulfi voor je, en dan vertel jij Nate ondertussen wat je van me vindt.'

Met opgetrokken wenkbrauw keek Nate me aan. 'Ze is zenuwachtig. Als ze zenuwachtig is, ratelt ze aan één stuk door.'

'Ze leek me eerder vol zelfvertrouwen,' zei ik. 'En brutaal op de koop toe.'

Nate keek teleurgesteld. 'Je mag haar niet.'

Ik lachte. 'Ik ken haar niet, ik kan er nog niks over zeggen.'

Tara kwam met kulfi voor iedereen terug, en nu kon ik zien hoe Nate met vrouwen omging. Het was een verhelderende ervaring. Zoals hij sprak en zich gedroeg was hij net mijn vader, op en top een heer.

'Ik wil daar nu geen ruzie over maken, Tara,' zei hij toen Tara erop stond dat hij naar de Verenigde Staten ging om zijn doctoraal te halen.

'Waarom niet?' vroeg ik. Ik nam het laatste hapje kulfi. 'Het is daar prachtig, je zou er aan een goede hogeschool kunnen studeren.'

'Zie je?' zei Tara. Ze legde haar hand op die van Nate. '*Arrey, yaar,* het wordt vast *mast,* hartstikke leuk.'

'Waarom kan ik niet gewoon in India blijven?' vroeg Nate strijdlustig. 'Niet iedereen wil veramerikaniseren, yaar. Ik in ieder geval niet.'

'Nou, ik anders wel,' zei Tara.

'Dan moet je op zoek gaan naar een aardige jongen... Hé, waarom koppelen we haar niet aan Adarsh Sarma?' stelde Nate lacherig voor.

Tara gooide haar papieren servetje naar hem. 'Rotzak,' zei ze. 'Maar ik mag toch wel bij jou komen logeren, hè Priya?'

'Natuurlijk,' zei ik.

Ze waren nog zo jong, vond ik. Zo verschrikkelijk jong... Was ik ook zo jong geweest? Toen ik nog studeerde, had ik geen vriendjes. Nou ja, ik was af en toe verliefd, maar een relatie had ik niet. Ik had een vriendenkring. Zelfs nu nog was ik bevriend met een paar jongens die ik toen had leren kennen. Met andere studiegenoten belde ik af en toe.

Mijn tienertijd was niet zo gemakkelijk als die van Nate. Er waren toen geen plekken voor tieners, niet dat ik wist, en Britney Spears bestond nog niet. Toen ik nog in India was wist ik maar weinig van de Amerikaanse popmuziek. Maar Nate en Tara waren goed op de hoogte, met hun voeten tikten ze de maat en Tara kende de teksten. Dit was een heel andere generatie, in deze generatie spraken de meisjes na negen uur 's avonds met jongens in dit soort gelegenheden af. Mijn moeder had me stevig onder handen genomen als ik zo laat nog het huis uit had gewild, vooral als dat was om een jongen te ontmoeten.

'Mijn ouders zijn dol op Nate,' zei Tara. 'Ze vinden hem geweldig. Ze willen met jullie ouders kennismaken, maar Nate probeert dat te voorkomen. Nate, ooit moet het toch gebeuren.'

Nate schoof ongemakkelijk op zijn rode plastic stoel heen en weer.

'Mijn moeder zou je niet erg bevallen,' zei ik en Ma zou Tara waarschijnlijk vreselijk vinden. Tara was wat Ma altijd 'een moederloos meisje' noemde.

Wanneer Nate langs de zenders zapte om naar MTV te kijken, keek Ma naar de heupwiegende, schaars geklede dames en schudde haar hoofd. 'Als jij zo op tv kwam,' zei ze tegen mij, 'vilde ik je levend. Die meisjes... *chee-chee*, ze hebben geen moeder. Want geen moeder, uit welk land ook, zou dit toestaan.'

Tara paste precies in die categorie met haar strakke gele blouse en korte zwarte rokje. Ze was niet anders dan Amerikaanse meisjes van haar leeftijd, maar voor mij kwam het als een schok dat er in India zo veel veranderd was. Toen ik zo jong was, kon ik echt niet zomaar in dat soort kleren het huis uit gaan. Ma zou ook niet hebben toegestaan dat ik een vriendje mee naar huis nam, of dat ik überhaupt een vriendje had.

Nate en Tara hielden elkaars hand vast, ze raakten elkaar op een vertrouwelijke manier aan, een manier die ik pas was gaan kennen toen ik met Nick omging. Het zou me niets verbazen als deze tieners met elkaar naar bed waren gegaan, al vond ik het een vreemd idee.

Ja, dit was een heel andere generatie, ik voelde me ongemakkelijk bij hun progressieve gedrag. Maar wie was ik om er iets van te zeggen? Ik was van plan met een Amerikaan te trouwen met wie ik al twee jaar in zonde leefde. Waarschijnlijk voelde de generatie van mijn ouders zich ongemakkelijk bij míjn progressieve gedrag.

'Ik stop wat geld in de jukebox,' zei Tara, en ze liep naar het glanzende apparaat.

'Ze is aardig,' zei ik omdat Nate graag wilde dat ik haar mocht.

'Ja hè?' zei Nate. 'Ma vindt haar vast vreselijk.'

'Ja.' Ik knikte en we moesten allebei lachen.

'Voel je je al een beetje beter?' vroeg Nate.

Ik grijnsde en wreef even over zijn hand. 'Dit was een goed idee, Nate. Bedankt, ik voel me inderdaad beter. Thatha was... wreed. Hij zei dat mango's en tomaten niet samengaan, dat als ik met Nick trouwde, ons huwelijk op een scheiding zou uitlopen.'

'Dat zou ook kunnen,' zei Nate. 'Je krijgt geen garantie.'

'Weet ik. Zo, dus jij bent van plan met dit moederloze meisje te trouwen?' vroeg ik. Ik had geen zin om stil te staan bij mijn toekomstige huwelijk en echtscheiding, zoals Thatha beweerde.

Nate lachte. 'Voordat ik haar aan Ma voorstel, moet ik haar in een fatsoenlijke salwar kameez zien te krijgen.'

Tara was absoluut een onafhankelijke vrouw uit de een-entwintigste eeuw. Ze sjeesde op een witte Kinetic Honda naar huis. Ze zwaaide terwijl ik haar ontzet nakeek omdat ze zo hard ging en geen helm droeg.

'Er gebeurt haar niks,' zei Nate toen ik mijn bezorgdheid kenbaar maakte. Ik voelde me net mijn moeder. 'Ze is altijd heel voorzichtig en... Ze wil geen helm, daar raakt haar kapsel van door de war.'

Nate en ik reden naar Tankbund in plaats van naar Thatha's huis. Daar gingen we op een van de bankjes zitten, naast het standbeeld van Krishnadeva Raya, de grote koning van de Deccan.

Krishnadeva maakte deel uit van mijn jeugd; ik kende hem uit de Indiase geschiedenis en de mythologie, uit de levendige verhalen die Thatha vertelde over de koning en zijn wijze nar, Tenali Raman. Het waren fabels, ze maakten deel uit van de folklore die door de generaties was doorgegeven en die ik hopelijk ook aan mijn kinderen zou doorgeven.

Thatha nam me op schoot terwijl hij op de schommel op de veranda zat. Ik zat op zijn ene knie, met zijn andere been zette hij de schommel in beweging. En dan vertelde hij me verhalen.

Mijn lievelingsverhaal ging over corrupte brahmanen die probeerden de koning te bezwendelen, en Tenali Raman leerde zowel de koning als de brahmanen een lesje.

Ik vroeg Thatha keer op keer me het verhaal te vertellen over de moeder van de koning die sterft zonder dat haar laatste wens is vervuld: een rijpe mango eten. Krishnadeva voelt zich vreselijk schuldig, hij is bang dat de *atma* van zijn moeder over de aarde zwerft omdat haar wens niet is vervuld. De hofpriester, een nare brahmaan, maakt gebruik van het verdriet van de koning en zegt: 'Omdat de koningin-moeder is gestorven zonder eerst een mango te eten, doolt haar ziel rond, die kan geen rust vinden.' Thatha zei dat zacht en verdrietig, op de manier van die priester.

De koning vroeg dan met Thatha's eigen stem: 'Het was

niet het seizoen voor mango's, ik kon haar er geen geven. O grote Pandit, wat moet ik doen om het goed te maken?'

'U moet een puja doen, een grote puja,' zegt de brahmaan. 'Om er zeker van te zijn dat de ziel van uw moeder in vrede rust, moet u vijftig edele brahmanen een gouden mango geven.'

De koning vindt dat een geweldig idee en besluit er gevolg aan te geven, maar hij vindt vijftig een beetje weinig, daarom nodigt hij alle brahmanen van het koninkrijk uit.

'Iedere brahmaan krijgt een gouden mango?' vroeg ik elke keer aan Thatha. 'Hoe veel gouden mango's zijn dat, Thatha?'

'Honderden,' zei Thatha. Daarna kwamen we bij het gedeelte dat ik het mooist vond.

Tenali Raman had wel door dat zijn heer en meester werd bezwendeld, daarom besloot hij de brahmanen een lesje te leren. Na de puja van de koning gaat Raman naar de tempel en vraagt de brahmanen met hem mee naar huis te gaan omdat zijn moeder pas is gestorven en ook háár laatste wens is niet in vervulling gegaan. De brahmanen verwachten nog meer goede gaven en gaan met Raman mee naar huis.

Wanneer ze daar aankomen zien ze gloeiend hete ijzers in het vuur. 'Waar zijn die voor, Raman?' vraagt de hofpriester. Raman vouwt zijn handen en heft ze hoog. (Thatha deed dat met één hand, met de andere hield hij mij vast.) 'Mijn moeder is aan reumatiek gestorven, haar laatste wens was dat haar knieën gebrand werden om de pijn te verzachten. Maar ik ben geen koning, ik kan me geen gouden ijzers veroorloven. Deze moeten maar goed genoeg zijn.'

Geschokt sloeg ik mijn hand voor de mond. 'Heeft Raman de brahmanen gebrandmerkt, Thatha?'

'Nee.' Thatha lachte. 'Ze renden allemaal hard weg en lieten hun gouden mango's achter. De koning zag hen wegrennen, en toen drong het tot hem door dat hij bij de neus was genomen. Dankzij Raman zag hij dat in.'

'Zijn alle brahmanen bedriegers?' vroeg ik een keer. Thatha schudde heftig zijn hoofd. 'Nee, Priya Amma, het is maar een verhaal. Brahmanen zijn oprechte, goede mensen. Tenali Raman was ook brahmaan... en hij was toch goed?'

Er waren meer verhalen, sommige over Raman, Jataka-verhalen over Bodhisattva, verhalen over Jain en Buddha, over Heer Indra, de *Mahabharata,* de *Ramayana*... van alles. Thatha had me de Indiase geschiedenis en mythologie bijgebracht. Hij kon uitstekend verhalen vertellen, net als zijn broer Kathalu-Thatha. Maar toen ik te oud werd om op schoot te zitten, kwamen er discussies in plaats van verhalen, en nu waren we in een impasse beland.

'Ik weet dat ik terug moet naar Thatha's huis, maar dat wil ik niet,' zei ik tegen Nate.

'Kom dan met mij mee,' stelde hij voor. 'Bel hen op en zeg dat je thuis bent. Na een nachtje slapen kijkt iedereen er heel anders tegenaan.'

'Ik weet niet waar Nanna naartoe is gegaan, en...' Ik zuchtte.

Nate knikte en sloeg zijn arm om me heen. Hij trok mijn hoofd tegen zijn schouder aan en drukte een kus op mijn voorhoofd.

'Waarom heb jij een goede band met Thatha en ik niet?' vroeg hij.

'Dat weet ik niet,' antwoordde ik naar waarheid. Ik hief mijn hoofd op om hem aan te kijken. Hij was een knappe jongen en ook nog gevoelig. Dat had hij van Nanna.

'Lata vindt je afstandelijk.'

'Lata is een trut,' zei hij.

'Valt best mee,' reageerde ik. Ik dacht aan het gesprek dat ik deze avond met haar en Sowmya had gehad. 'Eigenlijk is ze best geschikt.'

'Ze is weer zwanger,' zei Nate vol afkeer. 'Dat heeft Ma verteld... Wat een idioterie! De ouwe wil verdomme zuiver bloed. Wat houdt dat eigenlijk in?'

In tegenstelling tot andere jongens van zijn leeftijd gebruikte Nate nooit krachttermen, dus dat hij die nu wel bezigde, toonde aan dat het hem stak.

'Je krijgt nooit hun toestemming, als je dat wilt weten,' zei hij, en daarmee roerde hij het onderwerp aan dat ik wilde vermijden. 'Wat kan het je schelen, Priya?'

'Dat weet ik niet,' zei ik naar waarheid. 'Maar ik wil hen niet kwijt. Ik heb hen nodig, ik heb jóu nodig. Jullie zijn mijn familie.'

'Nodig hebben is een beetje sterk uitgedrukt,' wees Nate me terecht.

'Weet ik,' zei ik. 'O ja, dat weet ik.'

In stilte bleven we zitten. We keken naar de voorbijrijdende auto's en voor de eerste keer dat ik terug was, proefde ik India echt. Zeven jaar geleden had ik hier ook op een bankje gezeten en naar de auto's gekeken, naar de knipperende lichtjes in Begumpet aan de overkant van Tankbund. Ik had hier gezeten en me afgevraagd hoe het leven zou zijn in de Verenigde Staten, het land van onbegrensde mogelijkheden. Ik kon niet wachten om te gaan,

ik wilde wegvliegen van huis, van mijn ouders en alle bij-
behorende problemen.

'Waarom wil jij niet weg uit India, Nate?' vroeg ik. Zelf
wilde ik zo graag de nieuwe wereld ontdekken.

'Het bevalt me hier,' antwoordde Nick. 'Waarom zou ik
weggaan? Waarom ben jij weggegaan?'

Terwijl ik daarover nadacht, veegde ik mijn bezwete
handen aan mijn salwar af. 'Ik ging weg omdat iedereen
dat deed. Al mijn studiegenoten hadden toelatingsexamen
gedaan, sommigen waren met een man in Amerika getrouwd en weer anderen zochten daar naar een man.
Maar ik denk dat ik vooral wilde ontsnappen. Ik wilde
hier weg, weg van Ma, Nanna en Thatha, weg van de familie.'

'Maar je wilt wel hun goedkeuring?'

'Ja,' zei ik. 'Gek, hè? Ik deed zo mijn best om weg te komen en nu ben ik bang dat ik niet terug mag. Ze waren altijd mijn vangnet. Ik ben altijd dochter geweest, kleindochter, zus, nicht, net zoals ik vrouw en verloofde ben.
Dat ben ik nou eenmaal. Ik kan niet van mijn familie
scheiden, net zomin als ik van mezelf kan scheiden. Snap
je wat ik bedoel?'

'Ik geloof van wel,' zei Nate. 'Ik weet dat het net lijkt of
ze me niet kunnen schelen, of ik afstand houd. Die trut
heeft gelijk. Ik ben afstandelijk. Ik... Jij had altijd al een
hechtere band met hen, Priya. Ik dacht altijd dat ik het
niet tegen je kon opnemen. Ik dacht dat ik nooit zo'n
band met Thatha kon hebben als jij. Jij hebt zelfs een betere band met Nanna dan ik. Soms ben ik flink jaloers op
je.'

'Nou, dat hoeft dan niet meer, ik raak iedereen kwijt,'

zei ik. Ik stond versteld dat de nonchalante Nate achteraf toch niet zo nonchalant was. We hadden hem allemaal verkeerd beoordeeld.

'Nee hoor,' zei Nate met een zucht. 'Ze laten je nooit los. Nanna houdt van je. Ja, ik weet dat hij van ons allebei houdt, maar met jou... met jou heeft hij een speciale band.'

Dat kon ik niet ontkennen. Ik had altijd geweten dat de band tussen mij en Nanna heel bijzonder was. Misschien omdat ik het eerste kind was, of misschien omdat ik een meisje was, of misschien omdat ik Priya was.

'En Ma?'

'Ma zal je nog verrassen,' zei Nate. Hij lachte. 'Ze zeurt dan wel en kan soms heel lastig zijn, maar als het erop aan komt, staat ze voor ons klaar. Daar bestaat geen twijfel over.'

'Kon ik daarvan ook maar zo overtuigd zijn,' zei ik. 'Ze heeft me geslagen... Twee keer in twee dagen.'

'Dat is haar manier om te tonen dat ze van je houdt,' zei Nate. We barstten allebei in lachen uit.

'Waarom heb je me niet eerder van Nick verteld?' vroeg Nate. 'Jullie zijn al... hoe lang samen?'

'Drie jaar, en de laatste twee jaar wonen we samen,' zei ik. 'Ik wilde het aan niemand hier vertellen. Om eerlijk te zijn, ik was bang voor hun reactie. Een Amerikaan, een buitenlander... Ik wilde niemand over hem vertellen.'

'Wat is hij voor iemand?'

'Hij is aardig, heel aardig. Hij is accountant, dat lijkt me toch wel stabiel genoeg?' zei ik. Nate grijnsde. 'Nick de accountant! Hij... hij speelt racquetball, dat lijkt op squash. Je zou hem graag mogen. Hij heeft een hekel aan Madonna en is gek op Julia Roberts, hij vindt Salma Hayek sexy en zou graag met Halle Berry naar bed gaan. Hij is lang, donker en knap... Dat vind ik tenminste. Hij is koppig, heeft een hekel aan in de rij staan, en hij doet raar wanneer hij de hik heeft. Daar word ik bijna gek van.'

'Wat doet hij dan?' vroeg Nate.

'Hij neemt drie slokjes uit een hoog glas, en na elk slokje houdt hij het glas omhoog en kijkt naar de bodem. Kennelijk kom je zo van de hik af.'

'Werkt dat?'

'Dat is nou juist het rare, het werkt echt,' zei ik met een glimlach. 'Ik mis hem. Hij wilde meegaan. Hij zei dat het dan net zoiets was als in *Guess Who's Coming to Dinner*. Ik zei dat het meer *Guess Who's Getting Lynched* zou zijn.'

'Het zou anders een interessante ervaring zijn geweest,' zei Nate. Hij stond op. 'Geloof me, Priya, liefde overwint alles. Je had hem moeten meenemen. De ouwetjes voor het blok zetten.'

'Dit is al erg genoeg. Die andere optie zou nog veel erger zijn geweest, en ik heb geen behoefte aan nog meer enge dingen.'

Ik stond op en keek nog een keertje verlangend naar het bankje. Ik had daar de hele nacht met Nate kunnen zitten, maar het was tijd om te gaan.

⁓

Toen ik thuiskwam, was mijn vader nog niet terug. Thatha en Ammamma waren al naar bed; het licht in hun slaapkamer was uit en de deur stond op een kier.

Ma en Sowmya lagen op rietmatjes in de kamer te praten. Toen ik binnenkwam en naast Sowmya ging zitten, draaide Ma zich weg.

'Ik ga op het terras slapen,' zei ik tegen Sowmya.

Ze vroeg me even te wachten. 'Akka, ik ga met Priya naar boven. Is dat goed?' vroeg ze.

'Best,' mompelde Ma. Ze ging zitten. 'Ik slaap wel in de kamer bij de veranda en wacht op Ashwin. Waar zit hij toch? Dit is allemaal jouw schuld, Priya.'

Ik keek haar afwezig na terwijl ze de kamer uit liep. Ik wist dat ze kwaad was, ze was in staat me ook nog de schuld van het broeikaseffect en oorlog te geven. Als ze zo overdreef, kon ik haar niet serieus nemen.

'Zijn Jayant en Lata naar huis gegaan?' vroeg ik.

'Ze slapen in de kamer bij de eetkamer,' zei Sowmya. We rolden de matjes uit, pakten de kussens en maakten ons klaar om te gaan slapen.

Het was een mooie, zwoele nacht, ook al waren er miljoenen muggen. We zetten de muggenlamp dicht bij onze matjes en gingen liggen, onze gezichten naar elkaar toe gekeerd met onze wang op onze hand.

'Waar ben je geweest?' vroeg Sowmya.

'Nate heeft me aan zijn vriendin voorgesteld, daarna hebben we een tijdje bij Tankbund gezeten,' vertelde ik.

'Is ze leuk?'

'Ja, ze ziet er leuk uit. Maar ze komt uit Noord-India,' zei ik. 'Ma zal haar verschrikkelijk vinden.'

'*Abba*, jouw Ma vindt iedereen verschrikkelijk met wie Nate trouwt, ook al heeft ze het meisje zelf uitgezocht,' reageerde Sowmya.

'Ik vraag me af waar Nanna is,' zei ik met een zucht.

Sowmya ging zitten en keek me aan. 'Ik heb jouw raad nodig.'

'Wat?' Ik ging ook zitten.

'Ik wil met Vinay praten... alleen. Hoe krijgen we dat voor elkaar?'

'Waarom?' vroeg ik.

'Ze zeiden dat er een aanzoek zou komen. Eerst moet de horoscoop worden getrokken of zoiets...'

'Wanneer zeiden ze dat?'

'Vlak nadat jij weg was, belden ze,' zei Sowmya geërgerd. 'Het is nog nooit zo ver gekomen, dus Nanna is opgetogen. Hij wil me graag kwijt. Maar... ik wil Vinay eerst spreken, en als hij me niet bevalt, trouw ik niet met hem.'

Ik staarde haar aan, knipperde toen met mijn ogen. 'Wat?'

'Hoe bedoel je, "wat"? Dat ik dertig ben wil nog niet zeggen dat ik met de eerste de beste kerel trouw. Hij is aardig. Hij lijkt me prima, maar ik wil eerst met hem praten,' zei ze vastberaden. 'Wat vind jij?'

'Ik vind dat je zeker met een man moet praten voordat je–'

'Ik heb zijn telefoonnummer. Ik wil graag dat jij hem belt en voor morgen iets afspreekt,' viel Sowmya me in de rede. Ze had alles al bedacht. 'In Minerva. En jij moet mee. Ik heb je steun nodig.'

Ik floot zacht. 'Als ze erachter komen...'

'Jij zit al in de problemen, dus voor jou maakt het niet veel uit,' zei ze, zoals gewoonlijk een en al logica. 'Dus je belt hem?'

'Oké,' zei ik. 'Meteen morgenochtend.'

'Mooi. Het is dan zondag, dus is hij thuis,' zei Sowmya

met een lach. 'Ik ga een ander leven leiden, Priya. Ik gooi alles om. Ik laat me niet meer vertellen wat ik wel of niet moet doen... Ik beslis zelf wel.'

Ik stond paf. Dit was niet de Sowmya die ik kende. Maar de Sowmya die ik kende was de Sowmya van zeven jaar geleden. Deze Sowmya had ervaringen en openbaringen gehad waar ik niets van wist. Deze Sowmya was zelf een openbaring.

'Wat is er gebeurd?'

'Jij,' zei ze naar waarheid. 'Jij lijkt op mij, Priya. We hebben dezelfde achtergrond, maar jij leidt een heel ander leven. Niet dat ik ook met een Amerikaan wil trouwen, ik wil gewoon dingen doen waar ik zelf voor kies.'

'Zoals?'

'Een baan. Ik heb het aanbod gekregen om als assistent bij een dokter te werken. Ze is een vriendin, ze heeft hulp nodig. Nanna zei dat het uitgesloten was, maar ik denk dat ik het toch maar doe,' zei ze. Haar gezicht straalde door het nieuwe leven waarvan ze droomde. 'En ik wil ook geen sari's meer dragen. Voortaan draag ik alleen nog maar de salwar kameez. Een sari zit zo ongemakkelijk. En ik wil naar Amerika. Ik wil jouw huis zien, ik wil dat land zien.'

'Je bent altijd welkom,' zei ik. Ik was blij met deze nieuwe Sowmya.

'Dus je belt hem.'

'Natuurlijk.'

Deel 5

Kliekjes

Perugannam (rijst met yoghurt)

2 kopjes gekookte rijst
1½ kopje dikke yoghurt
½ kopje melk
zout naar smaak
½ kopje gebakken pinda's
1 eetlepel gesnipperd korianderblad

Ingrediënten voor de kruiderij
1 theelepel olie
½ theelepel zwarte mosterdzaadjes
½ theelepel Bengaalse *gram* (gele *dal)*
½ theelepel gespleten zwarte *gram* (zwarte *dal)*
1 gedroogde rode chilipeper, in stukjes gebroken
1 groene chilipeper, gesnipperd
1 stukje gemberwortel van 2½ cm, gesnipperd
5 kerriebladeren

Verhit de olie in een wok. Als de olie zeer heet is, de mosterdzaadjes toevoegen. Wanneer de mosterdzaadjes gaan knetteren, de rest van de kruiderij toevoegen. Bakken tot alles goudbruin is. Zorg dat de kruiderij niet aanbrandt. Roer de dikke yoghurt door de massa totdat de yoghurt vloeibaar wordt en alles goed is vermengd. Voeg de rijst toe en roer alles grondig door elkaar. De rijst moet volledig met het yoghurt-kruidenmengsel zijn vermengd. Garneer met de pinda's en de koriander. Warm of koud opdienen met ingemaakte limoenen of mango's.

Bruidegoms en vriendjes

Ik werd wakker van het geluid van metaal op beton. Als een zombie kwam ik overeind toen ik het weer hoorde. Slaapdronken keek ik om me heen.

Wat voor de drommel...

Sowmya sliep nog. Nog half slapend keek ik op mijn horloge en zag wazig dat het zes uur 's ochtends was.

Wankel stond ik op en liep naar de rand van het terras. Ik leunde over de balustrade en keek wat dat geluid had veroorzaakt. Misschien kon ik die herrieschopper de huid vol schelden.

Ik glimlachte slaperig. Hoe had ik het kunnen vergeten?

Thatha stond bij de tulasi-plant. Hij droeg een witte *panchi,* hij zag eruit als iemand uit de vijftiende eeuw, of als een acteur uit een ouderwetse Telugu-film. Hij plukte met zijn vingers aan de witte draad die losjes over zijn borst hing, alsof het de snaar van een gitaar was. Als iedere godvruchtige brahmaan reciteerde Thatha elke ochtend de *Gayatri mantram* om de dag te verwelkomen. Ik zag hem rond de heilige tulasi-plant lopen en water in de betonnen bak gieten met de koperen kan die op de grond was gevallen. Daardoor was ik wakker geworden.

Ik hoorde hem met zijn zware stem brommen, en ook al kon ik de woorden niet verstaan, ik voelde ze wel aan. Deze woorden waren verboden voor vrouwen. Het was Sanskriet, een tekst uit de Veda's die in het geheim van generatie op generatie, van man op man, werd doorgegeven.

Om
Bhur bhuva swah
Tat savitur varnyam
Bhargo devasya dhimahi
Dhiyo yo nah prachodayat
Om

Het was correct uitgesproken Sanskriet, want Thatha wist waarover hij het had, al betwijfelde ik of hij de diepere betekenis van de mantram wel echt doorgrondde.

Ik begreep het wel. Ik had het Nanna gevraagd en hij had het aan Nate en mij uitgelegd. Het was een mantram van verlichting. Het was een manier voor een brahmaan om een beter mens te worden. De zonnegod werd aangeroepen en het licht van de gulle zon werd gevraagd de lezer van de mantram te verlichten zodat hij alles en iedereen kon liefhebben. Haat werd uitgewist en de man kon aan de tocht beginnen die hem dichter bij de oppergod zou brengen.

'Waarom mogen meisjes dat niet reciteren? Waarom alleen jongens?' had ik Nanna gevraagd.

'Van mij mag je het best reciteren,' zei hij. 'Wil je elke dag om zes uur opstaan en de mantram opzeggen?'

Ik vond het al een hele beproeving om elke dag om half-zeven op te staan en de schoolbus van halfacht te halen. Ik schudde mijn hoofd en vond dat Nate maar degene moest zijn die vroeg wakker werd, niet ik. Later bleek dat Nate geen ceremonie voor de draad wilde en dat ook nooit van plan was te doen.

'Als ik me geen brahmaan voel, waarom moet ik dan meewerken aan die klucht?' vroeg hij mijn moeder, die maar doorging over traditie en cultuur. Hij reageerde door te vertellen dat hij net de dag daarvoor *beef biriyani* had gegeten, in het Irani Café in Mehndipatnam, en dat hij niks om traditie en cultuur gaf. Ma was zo geschokt dat ze het onderwerp nooit meer aanroerde, we dachten voornamelijk uit angst dat Nate zou vertellen over het vlees... Nee, Thatha en de anderen zouden het hem nooit vergeven dat hij rundvlees had gegeten.

'Weet die jongen dan niet dat de koe heilig is?' had Ma aan Nanna gevraagd, want het was ineens Nanna's taak geworden Nate tot een goede brahmaan op te voeden.

'Als jij net als mijn vader elke dag de Gayatri mantram opzegt, leert je zoon daar iets van,' had Ma gezegd. Maar Nanna ging niet in op haar eisen op dit gebied.

Het reciteren van de mantram was slechts een formaliteit. Thatha geloofde er niet echt in, hij had niet iedereen en alles lief, en haat was hem niet vreemd. Hij deed het omdat het van hem werd verwacht, omdat zijn vader dezelfde mantram op dezelfde manier had gereciteerd, ook zonder hartstocht en zonder dieper begrip. Als Thatha had begrepen wat de mantram inhield en daarnaar had gehandeld, zou hij Nick accepteren, of welke man dan ook met wie ik wilde trouwen.

Hij was een man die in rituelen geloofde. Leven en traditie liepen in elkaar over. Thatha zette geen vraagtekens bij de traditie, hij accepteerde die zoals hij ook accepteerde dat hij om zes uur moest opstaan om de Gayatri mantram op te zeggen.

Het drong tot me door dat hij niet zou veranderen, en dat stemde me verdrietig. Ik moest de kleindochter slachtofferen om de minnares te behouden.

⁓

Natuurlijk was Vinay geschokt toen ik hem belde. Zoiets deed je niet. Maar het sierde hem dat hij na wat gestamel zei dat hij om elf uur precies bij Minerva zou zijn.

'Zei hij dat het goed was? Echt?' vroeg Sowmya. Met trillende handen hield ze een stukje gember vast.

'Ja, echt,' zei ik. Ik trok de kerriebladeren van de nerf. 'Wat wil je hem zeggen?'

Sowmya ging verder met de gember raspen. 'Dat weet ik niet, maar als ik hem zie, gaat het vast vanzelf. Je blijft er toch bij, hè? Aldoor?'

'Ja,' zei ik en stopte een pinda in mijn mond.

'Niet te geloven dat het nu echt gaat gebeuren... Ik ga trouwen!' Sowmya klonk opgewonden. 'Maar voor ik iets tegen Nanna zeg, wil ik Vinay spreken. Anders dan... Dan wordt mijn leven een potje.'

'Je gaat uit huis, weg bij je ouders. Zul je dat niet missen?'

'Waarschijnlijk wel,' zei ze. Ze keek rond in de keuken. 'Ik vind dit een fijn huis. Ik voel me hier op mijn gemak. De huurders boven maken niet veel lawaai. Parvati komt regelmatig. Ja, ik heb het hier best naar mijn zin. Maar ik sta open voor verandering.' Ineens zweeg ze, keek of niemand het kon horen en fluisterde toen: 'Jij weet toch alles van seks?'

Ik stopte net weer een pinda in mijn mond, ik verslikte me bijna.

'Wat?'

Sowmya keek me nieuwsgierig aan. 'Toch? Je woont toch samen met die Amerikaan?'

'Ik...' Dit was wel heel persoonlijk, maar ze keek zo gretig dat ik knikte.

'Hoe was dat, de eerste keer?' vroeg ze.

Ik haalde mijn schouders op. Ik schaamde me dood.

'Vertel,' zei ze.

Ik keek terwijl ze de wok op de brander zette en een vlammetje te voorschijn toverde. Ze goot olie in de wok en keek me vol verwachting aan.

'Ik weet het niet meer,' zei ik.

Sowmya keek me aan, zo van: maak dat je tante wijs.

Ik grijnsde beschaamd. 'Het... het was oké.'

'Was dat met die Amerikaan?' vroeg ze.

'Ja.' Allemachtig, op zo'n soort gesprek was ik niet voorbereid.

Sowmya gooide mosterdzaad in de wok, het knetterde. Een paar sprongen eruit en belandden op het fornuis of het aanrecht. Ze roerde de zaadjes en deed er toen de kerriebladeren en de zwarte en gele *gram* bij. Ze liet het geheel even sissen en voegde toen twee gedroogde rode pepertjes toe. De olie spatte op.

'Och, geef me de *pachi marapakayalu* eens.' Ze wees naar de groene chilipepertjes naast de gootsteen.

Ook de groene pepertjes gingen de wok in. Met de spatel in de hand slaakte Sowmya een zucht. 'Ik heb het me altijd afgevraagd. En nou staat het te gebeuren. Ik ben bang en opgewonden tegelijk.'

Deze kant van Sowmya kende ik nog niet. Een dromerige Sowmya, niet het praktische muisje met wie ik was opgegroeid.

Ze schepte een soeplepel vol yoghurt en goot een beetje in de wok. Daarna goot ze er nog een beetje naast en roerde flink zodat de dikke yoghurt vloeibaar werd en zich goed met de kruiderij in de sissende olie vermengde.

'Ik hou van rijst met yoghurt,' zei ik. De bekende geur van hete yoghurt vulde de keuken.

'Dit is het op een na fijnste om voor het ontbijt te koken,' reageerde Sowmya. 'Makkelijk en gauw klaar. En ik kan er restjes voor gebruiken. Geef me de rijst eens aan?' Ze deed de rijst die van de vorige avond over was in de wok en roerde alles stevig door elkaar. Dit was een heel gewoon Telugu-gerecht voor het ontbijt.

'Denk je dat hij nee gaat zeggen omdat ik zo vrijpostig ben?' vroeg Sowmya, meer alsof ze het zichzelf afvroeg.

'Dan is hij geen knip voor de neus waard,' zei ik.

Ze knikte, lachte, en draaide de vlam uit.

Het ontbijt was klaar.

Iedereen in Ma's familie dronk 's ochtends filterkoffie. Oploskoffie was goed voor de rest van de dag, maar 's ochtends moest het filterkoffie zijn. De koffie zat in een metalen filter. Het kokende water werd op de gemalen koffie gegoten en tot een stevig brouwsel gefilterd. Daarna kwam er schuimige warme melk bij en suiker. Ik weet nog dat ik elke ochtend wakker werd en meteen koffie rook. Ik ben niet zo'n koffiedrinker, maar wanneer ik bij Thatha was, dronk ik koffie. Ook al zei Ma dat alle koffie hetzelfde was – 'koffie met melk, daar hoef je geen keukenprinses voor te zijn' – toch was Sowmya's koffie lekkerder, en ze zei er ook nooit iets van als ik vijf lepeltjes suiker in mijn mok deed.

Sowmya schonk de koffie in de mokken en zette die op de schotels.

'Priya, ik wil je iets persoonlijks vragen,' zei ze. Ze verdeelde het laatste restje koffie uit de pot over de mokken.

Was vragen of ik veel van seks wist dan niet persoonlijk? 'Vraag maar raak,' zei ik.

'Doet het de eerste keer erg pijn?'

Ik haalde mijn schouders op. 'Dat hangt ervan af... Sowmya, ik vind het moeilijk om hierover te praten.'

'Met wie moet ik er anders over praten?' vroeg ze. 'Misschien wil jouw Ammamma me van alle details over het huwelijksleven op de hoogte brengen. Denk je dat ze dat doet?'

Ik zuchtte diep. 'Het doet pijn, maar daarna gaat het beter.'

'Ja?' Ze klaarde helemaal op. 'Echt veel beter?'

'Veel beter.' Het was moeilijk mijn gezicht in de plooi te houden.

'Maar veel hangt toch van je man af, hè?'

'Ja.'

Sowmya knikte. 'Maar dat kan ik van tevoren niet weten.'

'Nee, in India kun je dat niet weten.'

Sowmya nam een slokje koffie en knikte nogmaals. 'Goed. Het gaat vast goed. Toch, Priya?'

'Ja,' zei ik, ook al wist ik niet precies wat er goed zou
gaan.

Minerva was geen spat veranderd. Het rook er zelfs nog
net zo als zeven jaar geleden. Het water liep me in de
mond toen ik de lange, knapperige *dosa's* en de sissende
vada's zag. Zuid-Indiaas eten was in Amerika moeilijk te
krijgen. Er waren talloze restaurants waar *chicken currie*
of *tandoori* werd opgediend, maar de vegetarische gerechten uit het zuiden van India stonden bijna nergens op
het menu.

'Ik neem een *masala dosa,*' zei ik tegen de bijzonder ner-
veuze Sowmya.

'Ik moet vast overgeven,' zei ze zodra ze haar aanstaande in het oog kreeg. 'Ik ben nog nooit zó bang geweest,
Priya. Dit was eigenlijk geen goed idee.' Ze hield mijn pols
als in een bankschroef. 'Laten we weggaan, dan doen we
net of je hem niet hebt gebeld.'

Ik maakte mijn arm los en wreef over mijn pijnlijke
pols. 'Je moet het nu doorzetten. Echt, om het zeker te
weten. En ik ben bij je.'

'Jij bent meer in die masala dosa geïnteresseerd,' grapte
ze zenuwachtig.

'Nou ja... die kan ik thuis nergens krijgen,' zei ik lachend. 'Kom op, je weet best dat je geen rust hebt voordat je dit hebt gedaan. En we moeten voor de middag
terug zijn, want Thatha wil weten wat ik heb besloten.'

'En wat heb je besloten?' vroeg Sowmya. Ze stond nog
steeds op veilige afstand van Vinay.

'Daar hebben we het nu niet over,' zei ik. Ik stak mijn hand omhoog en zwaaide naar Vinay. 'Hoi,' riep ik.

Sowmya sloot haar ogen. Zonder bril zag ze er heel anders uit. De ijdelheid had het gewonnen, ze had haar bril met de dikke glazen afgezet en de zelden gebruikte contactlenzen in gedaan.

'Namaskaram.' Vinay legde zijn handen tegen elkaar en gebaarde daarna dat we moesten plaatsnemen.

'Namaskaram,' zei Sowmya. 'Eh... *chala,* bedankt dat je bent gekomen.'

'Graag gedaan,' zei Vinay. Niet op zijn gemak lachte hij naar me. 'Willen jullie iets eten?'

'Nee,' zei Sowmya, maar ik knikte en zei: 'Masala dosa.'

Sowmya kneep in mijn dij en ik slikte een kreetje in. 'Nee, niets, dank je.'

'Koffie?' vroeg Vinay. Hij klonk al net zo nerveus als Sowmya.

'Nee,' zei Sowmya. Ze keek nog steeds niet op. 'Ik... ik wilde met je praten.' Ze hief haar hoofd op en hij knikte. Ik voelde me steeds minder op mijn gemak.

'Eh... Is er iets?' vroeg Vinay. 'Wil je niet trouwen?'

'Ik... ik wil best met je trouwen,' stelde Sowmya hem gerust. 'Maar eerst wil ik een paar dingen weten.'

'Natuurlijk, ik ben blij dat je met me wilt trouwen,' zei hij met een lachje.

Sowmya pakte mijn hand en brak bijna mijn pink. 'Ik wil werken,' onthulde ze. 'Van mijn vader mocht ik dat niet, en jouw familie keurt het ook af. Maar ik wil een baantje.'

Vinay knikte. 'Geen probleem. Ik kan mijn ouders wel aan. Ik leg het hun wel uit. Als jij wilt werken, heb je mijn steun en zij zullen je ook steunen.'

Sowmya lachte, ik hoorde haar opgelucht zuchten. 'En... ik wil mijn eigen huis. Ik weet dat je voor je ouders zorgt, maar...'

Vinay lachte ook. 'Het is een groot huis. Er zijn twee keukens, van alles twee. Het is wel een oud huis. Mijn grootvader heeft het laten bouwen. We hebben een gescheiden huishouding, maar het blijven mijn ouders.'

Sowmya lachte terug en knikte.

'Anders nog iets?' vroeg Vinay.

'Dat was alles,' zei ze.

'Wil je dan nu koffie?' Vinay keek me aan. 'Masala dosa?' vroeg hij.

Sowmya knikte verlegen, en Vinay riep een ober naar ons tafeltje.

Tijdens het ritje naar huis in de autoriksja bloosde Sowmya van geluk. 'Hij is aardig, hè?' zei ze.

'Heel aardig,' was ik het met haar eens.

'Ik mag gaan werken,' zei Sowmya opgetogen. 'Een baantje, Priya. Ergens waar ik elke dag naartoe kan, ergens buiten het huis. Ik ben zo blij dat ik dit heb gedaan. Ik ben zo opgelucht! En...' Ze lachte zacht. 'Ik ga trouwen!'

'Gefeliciteerd.' Ik gaf haar op elke wang een zoen.

'Wat ga je hun vertellen?' vroeg ze toen we uit de autoriksja stapten.

'De waarheid,' zei ik achteloos. Als Sowmya zo veel op het spel durfde zetten om haar leven te verbeteren, kon ik dat ook. 'Ik hou van Nick. Ik ga met Nick trouwen.'

Nadat Sowmya de bestuurder had betaald, vlocht ze haar vingers door de mijne en kneep zacht. 'Ik blijf bij je. Oké?'

'Oké,' zei ik. 'Ik... ik moet even bellen.'

'Is het daar dan niet laat?'

'Jawel,' zei ik. 'Rond middernacht, maar meestal blijft hij tot laat op.'

'Goed, ik verzin wel een smoesje voor je,' zei Sowmya. Ze knipoogde naar me.

⁓

Ik kreeg Nick maar niet te pakken. Volgens zijn mobieltje was hij niet binnen bereik. De vijf keer dat ik naar onze vaste telefoon had gebeld kreeg ik het antwoordapparaat, en toen ik hem op zijn werk belde kreeg ik de mededeling dat hij zich niet op de werkplek bevond of op de andere lijn in gesprek was.

Ik raakte in paniek. Had hij ondanks de foutmelding mijn mailtje over de ontmoeting met Adarsh toch gekregen en was hij door het lint gegaan? Of misschien was hij verhuisd en had hij zijn mobiele nummer veranderd en... Maar nam hij op zijn werk dan ook niet meer op? Allerlei vreselijke gedachten speelden door mijn hoofd. Om mijn paniek de baas te blijven, toetste ik Frances' nummer uit mijn blote hoofd in. Ik wist dat het in Memphis erg laat was, maar als Nick me had gedumpt, zou zijn moeder dat toch moeten weten.

Ze sliep, maar zodra ze mijn stem hoorde, klonk ze klaarwakker.

'Ze dwingen je om met een nare Indiase man te trouwen en je wilt dat ik dat Nick vertel,' zei ze zodra ze me haar had horen begroeten.

Ik lachte. 'Nee.'

'Gelukkig! Ik heb liever dat iedereen zijn vuile klusjes zelf opknapt,' zei ze. Ik wist dat ze glimlachte. 'Hoe is het met je, Priya?'

'Ik kan Nick niet bereiken,' zei ik. Ineens vond ik het belachelijk dat ik haar uit de slaap had gehaald. 'Ik... ik dacht dat hij boos op me was.'

'Boos? Nee, dat dacht ik niet. Ik heb hem gisteren nog gesproken en toen ging alles goed. Hij wacht tot je terugkomt en met hem trouwt,' zei Frances. 'Over trouwen gesproken, ik heb een enig plekje gevonden. In het centrum, met een schitterende tuin. Ik dacht dat als jullie nou in de herfst trouwen, déze herfst, dan krijg je prachtige foto's met al die herfstkleuren en–'

'Frances, ik ben bang dat hij me heeft gedumpt. Ik wil het nu niet over de bruiloft hebben,' zei ik, op het randje van hysterie.

'Wat heeft het een met het ander te maken?' vroeg Frances. 'Zorg voor een leuke gelegenheid om te trouwen, dan zorg ik wel dat hij komt opdagen. Hij is stapelverliefd op je. Vertrouw je hem soms niet?'

'Jawel,' zei ik. 'Thuis wel. Maar hier weet ik het niet meer. Ik moest meedoen aan die vreselijke ceremonie.'

'Net als in een boek? Was het een geschikte jongen?' Frances klonk opgewonden. 'Weet je zeker dat ze je dwongen? Wilde je echt niet?'

'Natuurlijk wilde ik niet. En hij is niet geschikt,' zei ik.

'Bedoel je dat een volwassen vrouw als jij die ceremonie niet kon afblazen?'

'Ik durfde hun niet over Nick te vertellen. Maar later heb ik dat wel gedaan en nu hebben ze een hekel aan me,' biechtte ik op.

'Nou, als ze daarom al een hekel aan je krijgen, ben je zonder hen beter af,' zei Frances. 'Maar ze hebben niet echt een hekel aan je. Ze zijn gewoon kwaad op je. Zodra hun boosheid is overgewaaid, is er geen vuiltje meer aan de lucht.'

'Denk je?'

'Nou, zo zou het gaan als je míjn dochter was,' zei ze. 'Zeg, maak ik een reservering voor in de herfst of niet? Ik dacht aan de eerste week van oktober. Niet te warm, niet te koud.'

'Zodat ik in december al zwanger kan zijn?' vroeg ik spottend.

'Kan dat?' vroeg ze. 'Dat zou fijn zijn. Dan komt de baby in september en... O, dat zou nog eens leuk zijn! Een baby in september zou–'

'Frances!'

'Ik zeg Nick dat je hebt geprobeerd hem te bereiken,' zei ze tevreden. 'Maak je geen zorgen, hij loopt niet weg.'

We kletsten nog een tijdje. Frances wilde weten hoe het in Hyderabad ging, zelfs hoe het weer was. Ze vond India heel romantisch, uit boeken had ze ideeën over een bijzonder exotisch land opgedaan. Toen ik haar over de sloppenwijken vertelde en het stof dat aan je hele lichaam plakte, zelfs op je oogleden, vond ze dat maar raar. India was geen land waar je voor een tijdje naartoe kon, het was iets dat in je bloedbaan kwam en je nooit meer los zou laten.

Omdat ik hier zo lang had gewoond, zag ik dat niet, maar na een paar jaar in het buitenland had ik er meer oog voor. Het waren de mensen, de geuren, de smaak, het lawaai, de essentie die bezit van je nam. Ik had om vele re-

denen een hekel aan dit land, de bekrompenheid, de on-
verdraagzaamheid, de manier waarop vrouwen werden
behandeld, maar dat was het totaalbeeld. Op kleine
schaal was India míjn land.

Ik voelde me licht in het hoofd. Ik was aardig opge-
knapt van het telefoontje met Frances. Dat veranderde
zodra ik weer bij Thatha's huis kwam.

Ik liep de gang in en er vond een aardverschuiving
plaats. Dit was Ma, dit was de Indiase moeder.

Ma en Thatha zaten tegenover Adarsh op de bank waar
Ammamma zo vaak op zat.

'Priya.' Nerveus stond mijn moeder op. 'Adarsh is hier.'

'Dat zie ik,' zei ik afgemeten. 'Hoi,' zei ik tegen Adarsh.
Hij knikte met een verwarde uitdrukking op zijn gezicht.

'Kom je even mee?' vroeg Ma, en voor het geval ik zou
tegenstribbelen pakte ze mijn pols beet en trok me naar de
keuken.

'Het leek ons het beste,' zei ze zodra we in de keuken
waren.

'Het beste voor wat?' Ik begreep er niets van en werd
achterdochtig. Het beloofde weinig goeds als Ma iets het
beste leek.

Ma haalde diep adem. Haar dikke buik trilde en ze zette
strijdlustig haar handen in de zij. 'We hebben Adarsh gevraagd te komen. We zeiden dat je hem nog een keer wilde
spreken voordat je een beslissing nam.'

Ik wilde iets zeggen, maar er kwam niets. Elke keer dat
ik dacht dat ze het niet bonter konden maken, kregen ze
het toch weer voor elkaar.

'We vinden dat je met hem moet praten, dan kun je zelf
zien dat het een aardige jongen is,' zei Ma.

Ik schudde mijn hoofd om weer helder te kunnen denken. Ik was erg in de war door het plotseling zien van Adarsh. 'Ik heb al besloten, Ma.'

'Praat nou maar met hem,' zei Ma getergd. 'Je hebt immers niets te verliezen?'

'Weet Nanna hiervan?' vroeg ik.

'Nee. Thatha en ik hebben het bedacht. Het leek ons een goed idee.'

Ik slaakte een zucht. 'Ik wil best met hem praten, maar niet hier,' zei ik. Ik zag de triomfantelijke lach op haar gezicht. 'We gaan naar buiten en dan praat ik met hem. Regelt u dat maar met Thatha.'

'En je doet aardig tegen hem? Je gedraagt je netjes? Je doet niets raars?'

Ik grijnsde. Ze deed haar best. 'Ma, vindt u niet dat ik al genoeg doe?'

Met een frons mompelde ze iets wat ik gelukkig niet kon verstaan. Ma riep Thatha naar de keuken terwijl ik naar Adarsh ging om te vragen of hij er bezwaar tegen had naar buiten te gaan.

'Prima.' Adarsh knikte en liep achter me aan de veranda op. Ik trok de Kohlapuri-sandalen aan die ik daarnet nog had uitgetrokken. Een paar dagen geleden had ik ze gekocht en nu al waren ze een beetje versleten.

Terwijl Adarsh de gesp van zijn leren sandalen vastmaakte, vroeg ik of hij een plek wist waar we koffie konden drinken en een beetje praten.

'Ja hoor. We gaan wel met de auto,' zei hij. Hij wees naar een zwarte Tata Sierra die voor het hek stond geparkeerd. Ja, die was me niet ontgaan toen ik thuiskwam.

Zonder iets te zeggen reden we naar een chaattent.

'Ik ben gek op chaat,' zei hij. 'Zodra ik hier was, ging ik chaat eten.'

'Toen ik nog studeerde, leefden we op chaat en gannasap,' zei ik. 'Toen ik in Amerika aankwam, was ik mager. Ik zag eruit als een of andere Afrikaanse vluchteling.'

'Van chaat en suikerrietsap word je niet vet,' was hij het met me eens. 'Maar met bier erbij...' We lachten, bijna kameraadschappelijk.

De chaattent was een klein restaurantje. Geen chaat aan de kant van de weg, dit was veel chiquer. Er stonden ongeveer vijftien tafeltjes met een rood-wit geblokt tafelzeil eroverheen. Op elk tafeltje stond een vaasje met een stoffige plastic roos, overduidelijk nep.

Adarsh bestelde twee flessen water. Het was er verlaten, er zat alleen een man in een hoekje een krant te lezen. We gingen aan een tafeltje bij het raam zitten met uitzicht op de drukke straat waar Adarsh zijn zwarte Tata had geparkeerd. Een jongen van een jaar of tien, gekleed in een te grote kaki korte broek en een smoezelig wit T-shirt, zette de twee flessen water op tafel. Over zijn schouder hing een rood-wit geblokte doek. Hij noteerde onze bestelling op een blocnote en gebruikte de pen die hij achter zijn oor bewaarde.

'Alleen maar chai? Geen chaat?' vroeg Adarsh toen hij hoorde wat ik bestelde.

'Ik heb net bij Minerva masala dosa gegeten. Met mijn tante,' zei ik. Het water liep me in de mond toen Adarsh *pau bhaji* bestelde.

'De beste pau bhaji eet je in Bombay,' zei Adarsh toen het kelnertje weer weg was. Hij nam een slok water uit zijn fles. 'Nou, waarom wilde je me spreken?'

Ik liet mijn kin op mijn linkerhand rusten en schudde lachend mijn hoofd.

'Je wilde me niet spreken,' raadde hij. Hij zuchtte. 'Je moeder en grootvader–'

'Ze smeden plannetjes achter mijn rug om,' onderbrak ik hem. 'Ja. Het spijt me, en om het goed te maken trakteer ik je op chaat. Straks kunnen we langs het kraampje rijden waar ik laatst ganna-sap heb gedronken.'

Adarsh glimlachte geamuseerd. 'Je wilt niet met me trouwen. Is dat het?'

'Nou...' begon ik.

Ineens lachte hij breed.

'Nee.'

'Oké,' zei hij en hij nam nog een fikse slok water.

'Je schijnt het je niet erg aan te trekken,' zei ik, een beetje beledigd omdat hij het zo goed opnam.

'Ik heb vijf meisjes gezien en jou vond ik het aardigst, maar ik ben niet verliefd op je,' zei hij.

Dat was nou zo prettig van jongens als Adarsh, dacht ik. Ze gingen met uithuwelijken om zoals je daarmee om hoort te gaan, zonder gevoelens om het proces van beslissingen nemen te vertroebelen.

'En is er nog een ander van de vier die je bevalt?' vroeg ik.

'Jawel,' zei hij met een lach. 'Ze heet ook Priya, maar ze is kleiner dan jij en ze mist... dat sprankelende.'

'Is dat een beleefde manier om te zeggen dat ik gauw kwaad ben?'

'Nou ja... Af en toe merkte ik iets van een sprankeling,' zei hij met een grijns. 'Dus je familie heeft je tot de pellichupulu gedwongen?'

'Ja en nee,' biechtte ik op. 'Ik had kunnen weigeren, dat zou beter zijn geweest. Maar ik wilde rust in de tent, en ik had de moed niet om over mijn vriend te vertellen.'

Adarsh zette de fles neer en bromde verontwaardigd. 'Heb je een vriend? Waarom zei je dat niet toen ik jou over mijn ex vertelde?'

Hij had er recht op boos te worden, dus zei ik nederig: 'Ik was bang.' Dat was de waarheid. 'Ik was bang mijn familie te kwetsen en nu heb ik jou gekwetst.'

'Me vernederd,' wees hij me terecht. 'Verdomme, wat is er toch mis met jullie vrouwen? Ik bedoel, ik geef toe dat uithuwelijken uit de tijd is, maar Priya, je werkt in de Verenigde Staten... Je bent een volwassen vrouw! Waarom speel je dan spelletjes?'

'Het is geen spelletje, Adarsh,' zei ik. Ik hield me in bedwang, al was ik graag tegen hem uitgevallen. Kon hij dan niet begrijpen dat ik bang was mijn familie kwijt te raken? Kon hij dat dan echt niet begrijpen?

'En toen?'

'Hij is Amerikaan,' onthulde ik. 'Ik heb het ze gisteren verteld, maar ze accepteren het niet. Ze hebben jou gevraagd te komen in de hoop dat ik op mijn beslissing terugkom. Dat ik me door je knappe uiterlijk en de rest zou laten betoveren.'

We zwegen toen het kelnertje Adarsh' pau bhaji en mijn chai bracht. Hij at er niet van, en ik blies in mijn thee om die te doen afkoelen.

'Het spijt me,' zei ik.

'Ik ben toch zo moe van vrouwen zoals jij,' mopperde Adarsh.

'Vrouwen zoals ik? Pardon, je kent me niet eens,' zei ik.

Ik zette mijn kopje zo hard neer dat er thee op het schoteltje gutste.

'Waar ben je zo bang voor? Mijn ex wilde haar ouders ook niet over mij vertellen. Ze was bang omdat er van haar werd verwacht dat ze met een Chinees trouwde... Dáárom gingen we uit elkaar, omdat ik het beu was dat ze me niet kon accepteren,' zei Adarsh.

'Heb je je ouders over haar verteld?'

'Ja,' zei Adarsh. 'Ik heb het verteld toen het serieus werd, toen we gingen samenwonen. Maar Linda durfde niet.'

'Het spijt me,' herhaalde ik, en ik meende het echt. 'Ik heb het mijn familie gisteravond verteld. Vandaag ga ik het nog eens vertellen... Ik weet niet wat ik anders moet doen, ik ben bang dat ik hen kwijtraak als ik het vertel, en als ik het niet vertel, ben ik bang dat ik Nick kwijtraak.'

'O, als je het niet doet, raak je hem zeker kwijt,' zei Adarsh met grote stelligheid. Hij nam een hap bhaji. 'Wil je ook wat?'

Ik schudde mijn hoofd. 'Vergeef je het me?'

'Zeg eens, wie ben ik om te oordelen? Ik ben op zoek naar een vrouw zoals ik ook een baan zou zoeken,' zei hij. Hij at met smaak verder.

'Denk je dat het met die andere Priya wat wordt?'

Adarsh knikte zowel geamuseerd als vol zelfvertrouwen. 'Ze is twintig, ze woont bij haar ouders. Ze is net afgestudeerd, dus ja, ik denk dat het wel wat wordt. Ze kampeert graag, ze houdt van joggen. Ik ook. We moeten maar vaak trektochten maken.'

'Daar ben ik blij om. En nogmaals, het spijt me dat je dit moest meemaken,' zei ik.

Achteloos haalde hij zijn schouders op. 'Zolang jij voor de chaat betaalt en me op ganna-sap trakteert, hoor je mij niet klagen.'

Nog eens probeerde ik Nick te bereiken, maar ik kreeg steeds het antwoordapparaat of de voicemail. Het was moeilijk niet in paniek te raken. Ik haalde mijn e-mail op in de hoop dat er iets van hem bij was, maar in het internetcafé kon ik geen verbinding maken.

Ik wilde niet terug naar Thatha's huis waar me vragen zouden worden gesteld waarin ik geen zin had, dus besloot ik naar het huis van mijn ouders te gaan. Daar was Nate, en als hij niet thuis was, wist ik dat de buren de sleutel hadden. Ik kon naar binnen gaan en even rustig bijkomen. En op Nates computer kon ik de mail ophalen.

Het gesprek met Adarsh had van alles opgeroepen, voornamelijk schuldgevoelens. Hoe had Nick het gevonden dat ik onze relatie drie jaar geheim had gehouden? Ik wist dat hij het stom van me vond dat ik mijn familie niet over hem vertelde, maar nu drong het tot me door dat het misschien beledigend voor hem was geweest. Zo had Adarsh het immers ervaren toen zijn Chinese vriendin haar familie niet over hem durfde vertellen?

We leefden in een mannenwereld, vrouwen moesten balanceren tussen wat hun familie van hen verwachtte en wat ze zelf wilden.

Ik hield een autoriksja aan en liet me van het internetcafé naar huis rijden. Ik onderhandelde niet met de riksjawallah, ik betaalde gewoon de vijfenveertig roepie die hij vroeg.

Misschien had Nick het druk. Ik verzon allerlei excuses voor het feit dat hij onbereikbaar was. Stel dat hij een ongeluk had gehad? Nee, hield ik mezelf voor, dan had Frances dat wel geweten, en ze had gezegd dat alles in orde was, dat ze Nick de vorige dag nog had gesproken.

Stel dat hij een ander had? Zodra dat in me opkwam, deed ik het als belachelijk van de hand. Nick had geen ander. Wanneer ik daar weleens grapjes over maakte, over dat hij bij me wegging, zei hij altijd: 'Waar zou ik heen moeten? Niemand wil me behalve jij.'

We hadden niemand behalve elkaar. Relaties scheppen een band, thuis wordt een gevoel dat uitstijgt boven een bouwwerk van hout en baksteen. Ik wist waar ik thuishoorde, en dat was niet in Hyderabad. Dit was mijn familie niet. Ze zetten me zomaar aan de dijk! Er kwam woede in me op. Ik voldeed niet aan hun verwachtingen, dus bestond ik niet meer. Ik was niet langer belangrijk. Mijn eigen vader liep zomaar het huis uit en nam niet eens de moeite om te laten weten dat hij nog leefde. Alsof een huwelijk met Nick het einde van de wereld betekende.

Ik betaalde de bestuurder en opende het vervallen hek dat toegang bood tot de getraliede veranda bij het huis van mijn ouders.

'Priya?' Mevrouw Murthy van de overkant riep me vanaf haar veranda.

Ik zwaaide naar haar. Ze stond op uit haar stoel en wuifde zich met een waaier van kokosvezel koelte toe. 'Is je moeder ook terug?'

'Nee,' antwoordde ik. 'Zij is nog bij Thatha en Ammamma.'

'De stroom ligt er weer uit,' klaagde ze. De waaier ging

snel heen en weer. 'Kom je bij me zitten tot er weer elektriciteit is? Het is hier koeler dan bij jullie... Ik heb het Radha zo vaak gezegd, een huis op het westen is foute boel.'

Het zou onbeleefd zijn te weigeren. Aan de andere kant kon ik moeilijk in tranen uitbarsten waar de lieve Mallika Murthy bij was, de moeder van een briljante zoon die de beste hogescholen van India had bezocht en nu voor een grote multinational werkte. Ze had ook een beeldschone dochter die met een knappe dokter was getrouwd en nu in Dubai woonde en waanzinnig veel verdiende.

Ma had een vreselijke hekel aan tante Murthy, ook al zaten ze de hele middag te roddelen. Ze hadden het over hun kinderen en probeerden elkaar te overtroeven. Nate had betere cijfers voor het toelatingsexamen behaald dan Ravi Murthy, dus dat bracht Ma steeds te berde. Tante Murthy had het over haar dochter Sanjana en haar geweldige echtgenoot. Over een halfjaar verwachtten ze een kindje, en Ma was stikjaloers. Misschien probeerde ze me daarom aan Adarsh te koppelen, want hij had aan BITS Pilana en Stanford gestudeerd en een goede baan gekregen. Dat maakte hem net zo begeerlijk als de dokter in Dubai.

'Kom maar, Priya,' drong tante Murthy aan. 'Ik heb *thanda-thanda nimboo pani.*'

Nou, koud citroensap klonk heerlijk, en waarschijnlijk zat Nate thuis flink te zweten. Dus beging ik de fout om bij tante Murthy op de veranda te gaan zitten in plaats van naar huis te gaan. Ik had kunnen weten dat ze me onder het genot van nimboo pani aan een kruisverhoor zou onderwerpen. Toen ik nog in India woonde waar iedereen nieuwsgierig was, kon het me nooit schelen. Nu moest ik zorgen dat ik geen tipje van de sluier oplichtte.

Ik weet nog dat Sowmya me vroeg wat ik verdiende toen ik mijn eerste baan kreeg. Na twee jaar studie in Amerika stond ik van die vraag versteld en vertelde ik het haar niet. Ma trok het bedrag uit me. Als ik in India had gewoond, had ik zo'n vraag doodnormaal gevonden.

De nimboo pani was iets te zoet, maar heerlijk koud, dus mij hoorde je niet klagen. Ik kon de hitte moeilijk verdragen. Onder mijn oksels zaten natte plekken in mijn salwar kameez, en ook op mijn rug en mijn buik. Het voelde of ik met mijn dijen aan de stoel geplakt zat. Mijn haar hing in sliertjes rond mijn gezicht en ik kreeg hoofdpijn. Ik was vergeten hoe de zomers in Hyderabad kunnen zijn.

'Radha zegt dat ze de ideale jongen voor je heeft gevonden.' Tante Murthy deed geen moeite haar nieuwsgierigheid te beteugelen. 'En?' vroeg ze met grote ogen. 'Hoe is die jongen Sarma? Heb je kennisgemaakt? Wat zei hij?'

Ik bevochtigde mijn lippen en onderdrukte een gil. 'Gaat wel,' zei ik. Ik keek in mijn glas, ik probeerde haar niet aan te kijken.

'Gaat wel?' drong tante Murthy aan. 'Radha zei dat hij net zo knap was als Venkatesh. Zelf vind ik die Venkatesh niet zo knap. Geef mij maar Aamir Khan. Wat vind jij, *hanh?*'

'Wat ik van Aamir Khan vind?' Onschuldig keek ik haar aan.

Tante Murthy zuchtte diep. 'Dus hij was niet knap, hanh?'

'Hij zag er goed uit,' antwoordde ik nonchalant.

'Dus...' Ze trok een wenkbrauw op. 'Het huwelijk gaat niet door? Je kunt het me best vertellen, het is geen schande. Dat gebeurt zo vaak. Toen Mahesh mijn Sanjana zag, was hij natuurlijk helemaal van de kaart. Binnen twee weken waren ze getrouwd, hij kon niet wachten.'

'Ik hoor dat Sanjana zwanger is, gefeliciteerd,' zei ik beleefd. Ik hoopte dat we het dan niet meer over mijn huwelijk zouden hebben.

Tante Murthy straalde. 'Een jongen, dat weten ze sinds twee dagen. Mahesh is de enige zoon, dus zijn ouders zijn dolblij dat hij ook een zoon krijgt. Een bijzonder rijke familie... Het bedje van de jongen is gespreid.'

'Leuk,' zei ik. Ik voelde me niet op mijn gemak. Het was warm en ik had niets met deze vrouw gemeen. Eigenlijk had ik haar niets te vertellen.

'Dus ze wilden niet, hanh? Toch?' vroeg ze. Haar ogen puilden bijna uit, ze wilde in mijn hoofd kijken om daar de waarheid te ontdekken.

'Nee,' reageerde ik geërgerd.

'Hebben ze ja gezegd?'

'Ja.'

'Zei jíj dan nee?' vroeg tante Murthy ongelovig. 'Mij kun je de waarheid vertellen, Priya. Als ze nee zeiden, kun je me dat best vertellen. Ik ben niet zo'n roddeltante als al die andere—'

'Ik trouw niet met hem, tante,' viel ik haar in de rede. Snel dronk ik het glas citroensap leeg, daarna zette ik het glas op de marmeren vloer en stond op.

'Waarom niet? Priya, waarom zo'n haast?' vroeg ze. Ze trok aan mijn hand.

Zeven jaar, en ik was het totaal ontwend. Ik was het ontwend dat ze je op de kop zaten en persoonlijke vragen stelden. Maar ik wist dat het er in India zo aan toe ging.

Ik kon mijn neus er wel voor optrekken en het onbeschoft vinden, maar zo was ik opgevoed. Zo was het hier. Het werd tijd dat ik dat accepteerde en deed wat gedaan moest worden.

'Nee,' zei ik. Ik lachte naar haar. Ik stond op het punt haar dag goed te maken. 'Ik ben al verloofd, met een Amerikaan. Deze herfst gaan we trouwen, waarschijnlijk in oktober. Ik stuur u een uitnodiging, maar de bruiloft is waarschijnlijk in de Verenigde Staten.'

Haar mond bleef een paar seconden open hangen. Als ik niet net de goede naam van mijn moeder (en de mijne) door het slijk had gehaald, zou ik het komiek hebben gevonden. Maar het was fijn het te hebben verteld. Ik was uit de schaduwen in het licht gestapt, leugens hadden plaatsgemaakt voor de waarheid, en dat voelde prettig.

Ik wist dat nog voordat ik een voet over de drempel van het huis van mijn ouders had gezet, Mallika Murthy haar tien beste vriendinnen zou bellen. Dat waren ook Ma's beste vriendinnen. En allemaal zouden ze weten dat ik uit de gratie was.

Met een glimlach klopte ik op de deur van het huis van mijn ouders. Er was nog geen stroom, het had geen zin aan te bellen. Ik verwachtte dat Nate zou opendoen, maar tot mijn verrassing was het mijn vader. Zijn ogen waren rood, hij stond een beetje onvast in de deuropening.

'Nanna?' zei ik.

Hij zuchtte diep. 'Ik had me verstopt, maar iedereen weet me te vinden,' zei hij. Hij maakte plaats voor me.

'Verstop je je in je eigen huis, Nanna?'

Hij haalde zijn schouders op. 'Ik wist niets beters.'

'Heb je gedronken?' vroeg ik. Het rook naar whisky.

'Niet echt.' Hij wees naar Nate die op de bank lag te slapen. 'Gisteravond hebben we een paar glaasjes whisky gedronken.'

'Een paar glaasjes?' Ik raapte een lege fles Johnnie Walker op die omringd door flesjes sodawater op de salontafel lag.

'Nou ja, na de eerste drie verloren we de tel,' zei Nanna. Hij ging op de bank zitten, naast Nates voeten.

Het was niet Nanna's gewoonte zo veel te drinken. Af en toe een glaasje, en zeker niet met zijn zoon. Had de alcohol een band geschapen? Stonden ze elkaar nader?

'Hoe voelt u zich?' vroeg ik toonloos.

'Katterig,' zei Nanna. Hij legde zijn hoofd tegen de leuning en sloot zijn ogen.

Vader van de bruid

Toen Nate klein was, had hij vaak oorontsteking. Tot ongeveer zijn vierde verjaardag had hij daar last van, en het deed zo'n pijn dat hij zelfs nu nog met angst en vreze aan die oorontstekingen dacht.

Vaak zat ik bij hem toen hij heel klein was, en soms huilde ik met hem mee. Een keer, ik was toen negen, kon ik het niet meer aanzien en wenste ik dat ik een beetje van zijn pijn kon overnemen. Ik vroeg Nanna waarom we de pijn niet samen konden delen. Hij zei: 'Als we pijn konden delen, zouden alle mammies en pappies van de wereld van pijn sterven omdat ze de pijn van hun kinderen zouden willen dragen.'

Nanna wilde een goede vader zijn. Ik denk dat het een van de doelen was die hij zich in het leven had gesteld. Waarschijnlijk had hij die ergens opgeschreven.

1. Genoeg sparen om op zijn zestigste met pensioen te kunnen gaan (nog twee jaar; de klok tikt door, tiktak, tiktak).
2. Een goede vader zijn.

3. Ruzies met Radha vermijden.
4. Priya uithuwelijken voordat ze een oude vrijster wordt.
5. Een pijnloze dood.

Nanna was uiterst netjes. Wanneer hij iets inpakte, ging dat keurig. Wanneer hij met vakantie ging, plande hij alles, hij liet niets aan het toeval over. Hij maakte voortdurend aantekeningen, en toen ik hem op zijn vijftigste verjaardag een PalmPilot gaf, was hij dolblij. Nooit ging hij zonder Palm de deur uit, en hij vertelde iedereen die het maar wilde horen dat zijn dochter in Amerika hem dat elektronische snufje had gegeven.

Hij was trots op me. Ook toen ik nog op de middelbare school zat en idiote prijzen voor welbespraaktheid en debatteren won, was hij in de wolken en belde zijn ouders waar ze ook waren om te vertellen dat zijn dochter zo geweldig was. Hij belde zelfs Thatha, en die belde hij bijna nooit.

Als ik hem ergens om vroeg, zei hij altijd ja, of hij mijn wens nu kon inwilligen of niet. 'Als je Nanna geen ja zegt, wie moet het dan doen?' vroeg hij. Volgens mijn vader was het de taak van vaders hun kinderen gelukkig te maken.

'Toen je een baby was,' zei Nanna eens, 'wilde ik je aan het lachen krijgen. Je vond het leuk om aan mijn snor te trekken, en iedere keer dat je dat deed, slaakte ik een gilletje en dan moest je nog harder lachen.' Kennelijk trok ik toen we allebei jong waren nogal wat snorharen uit.

⌐

Nanna streek met zijn vinger over zijn snor en keek naar het bewegingloze lichaam van Nate. Hij pakte Nates linkerhand op en liet die weer los. De hand viel slap terug.

'Die jongen kan niet tegen drank,' zei hij. Toen hij probeerde op te staan, wankelde hij.

'Dus jullie hebben je allebei een stuk in de kraag gezopen... Doen jullie dat vaak?' vroeg ik. Ik pakte de krant om mezelf koelte toe te wuiven. 'Hoe kan hij slapen in deze hitte?'

'Jullie Ma zeurt aldoor om een generator en airconditioning. Ik vind dat decadent, we zijn maar eenvoudige mensen,' zei Nanna met een lome lach. Hij leunde terug in de bank, zijn pogingen om op te staan had hij opgegeven.

'Als het niet zo warm was, zou ik koffie voor je maken,' zei ik. Ik wuifde mijn hals koelte toe. Ik ging op de schommelstoel bij de tv zitten en terwijl ik met mijn 'waaier' in de weer was, schommelde ik.

'Ma zoekt je,' zei Nanna na een poosje. 'Ze heeft gebeld. Ze is razend. Oom Mahadevan had gebeld en Adarsh is onder de indruk van je eerlijkheid.'

'Nanna–' begon ik.

'Nee, Priya Ma, je hebt gedaan wat jouw generatie altijd doet, een dolkstoot in ons hart,' zei Nanna. Hij sloeg zijn rechterhand voor de borst en liet zijn hand toen weer vallen. 'Adarsh zegt dat hij het je niet kwalijk neemt, maar wat moet ik nu tegen oom Mahadevan en meneer Sarma zeggen?'

'Ik wilde Adarsh' gevoelens niet kwetsen,' zei ik. 'En hij had me al verteld dat hij een Chinese vriendin had gehad.'

Nanna schudde zijn hoofd. 'De jeugd van tegenwoordig... Ik had niet gedacht dat ik dat nog eens zou zeggen, maar nu zeg ik het dan toch: de jeugd van tegenwoordig weet niet wat het beste voor hen is. Het wordt niks, Priya.' Zoiets had Thatha ook al gezegd. 'Het wordt niets als je trouwt met iemand die niets van je cultuur weet, van je wortels, je gebruiken.'

Voordat ik kon reageren, sloeg de plafondventilator aan en zoemde zacht. Opgelucht haalden we diep adem. 'Ze zouden ze moeten terechtstellen omdat ze de stroom steeds laten uitvallen,' zei Nanna. Hij stond op en ging recht onder de ventilator staan.

Terwijl hij de vochtige katoenen *kurta* van zijn bezwete lichaam plukte, dacht ik erover na wat ik hem allemaal kon vertellen. Meteen besloot ik dat ik al genoeg had achtergehouden en dat het geen zin meer had hem of iemand anders in bescherming te nemen.

'Het gaat al drie jaar goed, Nanna,' zei ik. 'We wonen al een tijdje samen... Twee jaar... We zijn heel gelukkig.'

Nanna bleef doodstil staan en keek me met opeen geperste lippen aan. 'Je deelt een huis met die man?' vroeg hij.

'Ja,' zei ik. Ik bedwong de neiging op mijn knieën te vallen en om vergiffenis te smeken.

Weer schudde Nanna zijn hoofd. 'Je woont al twee jaar met hem samen?'

'Ja.'

'En je vond het niet nodig ons te vertellen over de persoon die zo belangrijk in je leven is? Zelfs toen ik je ernaar vroeg, zei je niets. Waarom? Wat heb je te verbergen?' vroeg hij kwaad.

Dat waren terechte vragen. Het drong tot me door dat ik er echt een potje van had gemaakt. Ik had het hun moeten vertellen voordat ik naar India kwam, ik had Nick moeten meenemen. Ik had hem aan de familie moeten voorstellen in plaats van hen ermee te overvallen.

'Ik was bang,' bekende ik. 'Ik ben nog steeds bang dat jullie niet meer van me houden, dat jullie een hekel aan me hebben. Maar ik heb niets te verbergen... Ik bedoel, hij is een goed man. Hij houdt van me, hij zorgt goed voor me. Hij wilde met me mee, hij wilde niet dat het zo zou lopen. Het is allemaal mijn schuld.'

Met een zucht ging Nanna in de stoel naast de telefoon zitten. Hij keek me recht aan. 'Hoe heet hij?'

'Nicholas, Nick. Hij is accountant bij Deloit & Touche. Hij... Wat wilt u allemaal weten?'

'Zijn familie. Wat zijn dat voor mensen?'

'Ze zijn heel aardig. Zijn vader is vijf jaar geleden overleden. Hij was de coach van een footballteam, aan een middelbare school in Memphis. Nick is in Memphis geboren en getogen. Zijn moeder Frances is verpleegkundige, ze werkt op de afdeling voor kinderen met kanker, in St. Jude's. Dat is een groot kinderziekenhuis in Memphis. Hij heeft een broer Douglas, Doug. Die is souschef bij een trendy restaurant in New Orleans.' Ik vertelde alles.

'Hoe heb je die... die Nick leren kennen?' vroeg Nanna. Zijn stem klonk koel, niet veroordelend.

'Op een feestje,' zei ik. 'Een vriend van een vriend van een vriend... We leerden elkaar kennen, we gingen uit en... Nanna, het was echt niet mijn bedoeling iets met een Amerikaan te hebben. Ik had nooit gedacht dat ik met iemand als Nick iets gemeen zou hebben.'

Toen ik opgroeide waren westerlingen bijna buitenaardse wezens. 'Zij' hadden andere normen en waarden dan 'wij' en 'wij' waren moreel boven hen verheven. De meeste Indiërs van de eerste generatie die naar Amerika ging, hadden uitsluitend vrienden die ook Indiër waren. Ik had nooit gedacht dat het bij mij anders zou gaan. Ik was met Indiase vrienden en vriendinnen begonnen, maar de vriendenkring breidde zich uit. Nu dacht ik niet meer in termen van Indiase vrienden en Amerikaanse vrienden, maar gewoon 'vrienden'. Ik keek niet meer naar huidskleur.

'Hij is heel, heel aardig,' zei ik. 'Hij... hij maakt me gelukkig.'

'Ik kan het niet accepteren, Priya,' zei Nanna ernstig. 'Misschien over een paar jaar, maar nu ben ik ontzettend boos op je, en ook gekwetst. Maar ik heb geen hekel aan je. Ik ben je vader, ik blijf altijd van je houden.'

'Dat is genoeg,' zei ik. 'Ik wil meer, maar ik begrijp het. Door jou voor Nick te beschermen en Nick voor jou, heb ik meer kwaad dan goed gedaan.'

Even zwegen we en na verloop van tijd haalde Nanna zijn schouders op. 'Ik denk dat je hebt gedaan wat iedereen in jouw positie zou doen.'

'Ik had het er moeilijk mee,' zei ik zacht. 'Ik wilde graag de ideale dochter zijn, maar ik besefte dat als ik dat probeerde te zijn, ik niet gelukkig kon worden.'

'Ik heb nooit van je geëist dat je perfect bent, Priya Ma,' reageerde Nanna.

Ik knikte. 'Nee, maar ik wilde toch perfect zijn. Ik wilde jouw liefde, die van Nick en die van Thatha. Ik ben egoïstisch, misschien zelfs hebberig; ik wilde niets en niemand kwijtraken. Maar het is niet zo makkelijk als ik dacht, en misschien moeilijker dan Nick zei dat het zou zijn. Ik ben dol op je, Nanna. Ik wil je niet kwijtraken omdat ik van een andere man ben gaan houden, een man uit de verkeerde cultuur en van het verkeerde ras. Ik weet best dat Tha-tha me niet meer zal willen kennen en–'

'Heeft hij dat gezegd?' onderbrak Nanna me.

'Nee, dat denk ik maar. Ik ken hem en ik weet dat hij dit afkeurt. Die strijd heb ik verloren. Ik ben bang dat Ma me ook verstoot,' bekende ik. 'Ook al staan we niet altijd op goede voet, ik ben hier om het jullie allemaal te vertellen. Ik wilde zo graag dat jullie Nick konden accepteren, Nick en mij als stel konden accepteren.'

'Maak je over Ma maar geen zorgen. Ze doet wat ik doe,' zei Nanna met een flauwe glimlach. 'Ze is je moeder en blijft altijd van je houden, wat er ook gebeurt. Zo zijn moeders.'

We keken elkaar aan, we accepteerden elkaar met fouten en al. Sommige banden kunnen niet worden verbroken.

'Maar ik ben blij dat je niet stiekem met hem getrouwd bent, zoals Anand en Neelima,' zei Nanna zacht. 'Ik ben blij dat je de moed kon opbrengen het ons te vertellen. Ik had het liever eerder gehoord, maar in ieder geval heb je het verteld. Er zijn er genoeg die dat niet zouden hebben gedaan. De zoon van een collega woont in Engeland, hij is met een Engels meisje getrouwd en belde na de bruiloft pas op... Hun hart was gebroken.'

'Ik dacht dat ik je hart had gebroken.'

Nanna lachte. 'Er zit een barstje in, maar gebroken is het niet. Ik ben trots dat je bent wie je bent. Ik ben blij dat ik je heb opgevoed... omdat ik je heb opgevoed tot wie je bent.'

'Ik dacht dat je boos was, dat je vond dat ik je een dolk-stoot in de rug had gegeven, dat ik je vertrouwen had be-schaamd,' zei ik.

'Nou, zo voelde het gisteravond wel,' gaf Nanna toe. 'Maar nu... Na een avondje stevig drinken zie ik het licht.'

'De heldere blik van de dronkaard?' grapte ik. Weer lachte hij. De vorige avond had ik gevreesd dat hij nooit meer zou kunnen lachen, in ieder geval niet tegen mij.

'We willen deze herfst nog gaan trouwen. Kom je?' vroeg ik impulsief.

'Nodig je míj op de bruiloft uit?' vroeg Nanna ongelovig.

'We leven in andere tijden,' zei ik. Het drong tot me door hoe belachelijk de situatie was. Mijn vader was altijd van plan geweest me uit te huwelijken en nu de tijd voor de bruiloft was aangebroken, huwelijkte ik mezelf uit en nodigde hem uit als gast.

'We zien wel,' zei hij, en ik begreep dat hij het open wilde houden.

'Ik moet eigenlijk naar Thatha's huis om te zeggen dat ik niet de volgende mevrouw Sarma word,' zei ik terwijl ik opstond.

'Ik breng je wel,' zei Nanna. 'Het effect van de alcohol is nu wel weg... Dat je dochter met een *firangi* trouwt, is niet goed voor de gezondheid.'

'En hij dan?' Ik wees naar de slapende Nate. Zijn mond stond een beetje open, er liep een straaltje speeksel over zijn kin.

'Met hem komt het wel goed,' zei Nanna. 'Dit is vast niet de eerste keer dat hij met een kater wakker wordt. Kom, we gaan naar Thatha en onderweg vertel je me alles over Nates vriendin. Ze is toch wel een Telugu, hè?'

Ik sloeg mijn armen stevig om Nanna heen, en toen kwamen de tranen. Ik snikte van opluchting. Hij wreef met zijn wang over mijn haar en ik wist niet of de nattigheid die ik voelde zweet was of Nanna's tranen.

Voor de *tiffin* van die avond maakte Sowmya karnemelk met amandelkoekjes in plaats van koffie. 'Het is te warm voor koffie,' zei ze terwijl ze water in de aardewerken kruik goot waarin ze elke dag yoghurt maakte.

'Waar is Thatha?' vroeg ik. Het stoorde me dat hij er niet was nu ik wilde uitleggen waarom ik niet met Adarsh kon trouwen en waarom ik Adarsh de waarheid had moeten vertellen.

'Er is iets op de bouwplaats... Iets met een muur die er staat maar er niet had moeten staan of zoiets,' zei Sowmya. Ze deed gemalen komijn en koriander in de aardewerken kruik en ook nog een theelepeltje chilipoeder en zout.

Ze karnde de yoghurt met een houten staaf en proefde af en toe. 'Proef eens?' vroeg ze. 'Denk je dat ik ook nog een beetje met suiker moet maken?'

'Dit is prima,' zei ik. Ik lachte omdat ze nog wist dat ik altijd karnemelk met suiker dronk.

Lata slenterde de keuken in. Ze waggelde al een beetje en wreef over haar rug. 'Bij mijn vorige zwangerschappen had ik nergens last van,' mopperde ze. Ze zuchtte toen ze me zag. 'Waarom moest je Adarsh nou alles vertellen? Je moeder vermoordt je nog.'

Het ergerde me dat Adarsh naar huis was gegaan en als een brave jongen zijn ouders alles over mijn persoonlijke leven had verteld. Ik had het hem in vertrouwen verteld zodat hij zich niet gekwetst hoefde te voelen. Ik ging ervan uit dat we een ongeschreven afspraak hadden dat we onze ouders niets zouden vertellen. Ik voelde me bedrogen, en ik had nog wel voor zijn chaat en ganna-sap betaald!

'Nou, hij vertelde dat hij een Chinese vriendin heeft,'

kwam ik voor mezelf op. Ik zei er expres niet bij dat die vriendin verleden tijd was.

'Een Chinese?' Lata sperde haar ogen wijd open en zocht steun tegen de muur. 'Wat? Zijn er in de Verenigde Staten dan geen Indiërs?'

Op dat moment liep Neelima de keuken binnen. Haar ogen waren een beetje gezwollen en er hing een soort lethargie om haar heen, net een vervelend zoemende mug. 'Wil je koffie voor me maken, Sowmya?' vroeg ze. Ze ging naast de grote maalsteen op de grond zitten. 'Ik heb zo'n slaap,' klaagde ze.

'Dat heb je in de eerste drie maanden,' merkte Lata zuur op. 'En waarom zijn Anand en jij zo laat? Ik dacht dat jullie 's ochtends zouden komen. Sowmya en ik moesten de gedroogde mango voor de maggai helemaal zelf mengen.'

Neelima trok zich niets van het standje aan, ze stelde alleen belang in koffie. 'Mijn ouders wilden dat we bij hen kwamen lunchen,' zei ze.

'Hier heeft niemand geluncht,' mopperde Sowmya. 'Toen Nanna kwam, heeft hij de rijst met yoghurt gegeten die van het ontbijt over was. Amma heeft hoofdpijn. Radha Akka en ik hadden dus voor niets zo veel rijst en pappu gemaakt.'

'Dan eten we dat vanavond,' zei Lata. Ze richtte zich tot mij. 'Hoe is het met je vader?'

Ik lachte. 'Dat komt wel goed.'

Lata legde haar hand op mijn schouder en kneep. 'Ik vind je heel dapper,' zei ze. 'Het zou makkelijker voor je zijn geweest om niets te zeggen... zoals Anand. Maar jij vertelde het wel en dat was heel moedig van je.'

Het verraste me dat ze me dapper vond, zo voelde ik me

helemaal niet, eerder hulpeloos in een situatie die ik niet kon veranderen.

'Zeiden maar meer vrouwen wat ze wilden,' besloot Lata met een lach.

'Misschien moet jij dat eens doen,' opperde ik.

Sowmya was klaar met karnen, ze schonk de karnemelk in hoge glazen die wiebelig op het niet erg egale aanrecht stonden.

'Breng jij deze naar je ouders?' Sowmya wees twee glazen aan.

'Ze zijn in de slaapkamer naast de veranda,' zei Lata. 'Je moeder is ziedend. Succes.'

Ik nam de twee glazen en ging op zoek naar mijn ouders. Mijn vader zei mijn moeder waarschijnlijk dat hij geen bezwaar had tegen de man met wie ik wilde trouwen. Het zou er heftig aan toe gaan, maar ik liet me nergens meer door weerhouden. Ook al ergerde ik me dood aan Adarsh, hij had me wel doen inzien dat het niet goed voor mijn relatie was Nick voor mijn familie geheim te houden.

'Niks ervan!' tierde Ma tegen Nanna. 'Ze heeft het Mallika verteld... Ze heeft Mallika over die Nicku verteld en Mallika heeft iedereen gebeld. Iedereen weet het, Sarita heeft me gebeld om het te vertellen. Wat doet ze ons aan? Ze gooit onze goede naam te grabbel!'

Bijna ging ik de slaapkamer niet binnen. Toch zette ik die moeizame stap over de drempel, ik duwde de op een kier staande deur verder open. '*Lassi,*' zei ik en hield de glazen hoog.

Ma keek me kwaad aan. 'Priya, wat doe je ons aan?'

Er stonden tranen in haar ogen. Ik vroeg me af of die

van verdriet of boosheid waren. Ik had niet die hechte band met mijn moeder die dochters verondersteld worden te hebben. Met mijn vader was die band wel ontstaan, maar met Ma... daar kon ik het beter niet over hebben. Ik denk dat ik nooit respect voor haar heb gehad, ik vond haar niet al te slim. Voor Nanna had ik wel respect. Ma was de ouder die me steeds aan het hoofd zeurde. Ook al mopperde Nate over Ma, hij kocht toch elk jaar een verjaarscadeautje voor haar, hij dacht aan de trouwdag van mijn ouders, en soms nam hij zomaar *jalebi's* mee, waar Ma zo dol op was.

Waarom waren we allebei op een andere ouder gesteld? Het ging onbewust, want als ik diep in mijn hart keek, voelde ik dat Nanna meer van me hield dan Ma. Soms had ik zelfs het gevoel dat Ma me niet mocht omdat ik zo heel anders was dan zij, omdat ik meer met Nanna had dan met haar.

Toen ik nog klein was en Nate nog niet was geboren, dacht ik weleens dat Ma mijn stiefmoeder was. Nanna was mijn echte vader, maar mijn echte moeder was dood. Niemand durfde me dat te vertellen. Het stak me dat Ma zo kortaf tegen me was, dat ze nooit een teken van liefde gaf. Ik voelde me leeg. Wanneer ik zei dat ik van haar hield, wuifde ze dat weg. Ze zei dat je je liefde door daden moest bewijzen en dat woorden niets waard waren. Misschien had ze gelijk. Ik kon niet iets tonen wat ik niet echt voelde, ik wist niet precies wat mijn gevoelens ten opzichte van mijn moeder waren. Ik wist zeker dat ik van haar hield, maar er was ook nog iets anders wat dieper verborgen zat.

'Het spijt me.' Ik meende het oprecht. 'Ik dacht dat Adarsh wel discreet zou zijn omdat hij me over zijn Chinese vriendin had verteld. Ik dacht echt niet dat hij het overal zou rondbazuinen, alsof hij het in de krant zette.'

Dat ik me verontschuldigde, leek Ma te verrassen, maar ze herstelde zich snel. 'Dus als híj jou iets vertelt, moet jíj hem ook iets vertellen? Ken je dan helemaal geen schaamte?'

'Wat heeft schaamte ermee te maken?' Ik kon geen beleefdheid meer opbrengen. Zoals gewoonlijk stoorde ik me verschrikkelijk aan haar.

'En waarom vertel je dit aan tante Murthy? Had je echt niets beters te doen?'

'Ze vroeg naar Adarsh en ik heb naar waarheid antwoord gegeven,' zei ik. Ik had nu flink spijt dat ik tante Murthy over Nick had verteld. Dat deed ik omdat ik boos was op mijn familie en geërgerd omdat tante Murthy zo nieuwsgierig was. Het was kinderachtig geweest, nu schaamde ik me daarvoor.

'Het spijt me dat ik het heb verteld,' zei ik met neergeslagen ogen. 'Dat was dom.'

'Ze heeft het overal rondverteld,' zei Ma. Spottend voegde ze eraan toe: 'Adarsh hoeft het niet in de krant te zetten, dat heb jij al gedaan. Je had het ook van de daken kunnen schreeuwen.'

'Radha,' bemoeide Nanna zich ermee, 'ze heeft een fout begaan en dat spijt haar.'

'Het spijt haar?' In verwarring gebracht keek Ma mijn vader aan. 'Met spijt maakt ze dit niet in orde, Ashwin. Ze beledigt ons en...' Ze richtte zich tot mij. 'Ga weg, ik wil je nooit meer zien. Als je met die Amerikaan trouwt, ben je in mijn huis niet meer welkom.'

Mijn mond werd droog. Ze wist precies waar ze me kon raken. Misschien hield ik meer van mijn vader dan van haar, maar ze wás mijn moeder. Hoe kan een moeder haar dochter verstoten?

'Radha.' Nanna legde zijn hand op haar schouder. Ze trok aan de *pallu* van haar sari die van haar schouder gleed en stopte de zoom in.

'Maar Ashwin, ik droomde van... Al mijn hoop de grond in geboord.' Ze begon te huilen, haar woorden waren vermengd met snikken.

Nanna sloeg zijn armen om haar heen en wiegde haar zacht. 'Het komt allemaal goed,' fluisterde hij in haar haar. Hij wierp me een verdrietige glimlach toe.

Met een brok in mijn keel zette ik de glazen lassi op het nachtkastje neer. Nanna stak een hand naar me uit en ik rende op hem toe. We hielden elkaar allemaal stijf vast.

Ma was de eerste die zich los worstelde. Ze veegde haar gezicht met haar pallu droog en keek me met nog vochtige ogen aan. 'Ga je echt met die Amerikaan trouwen?'

Ik klampte me aan mijn vader vast. 'Ja.'

Ma knikte. 'Wanneer?'

'In de herfst. Misschien in oktober.'

Weer knikte Ma, toen liep ze de slaapkamer uit.

Ik fluisterde een spijtbetuiging terwijl ik Nanna maar bleef vasthouden. Ik wist niet meer wat me nou zo speet, ik wist alleen maar dat dit zo niet kon doorgaan. Ik wilde dat alles weer gewoon werd.

⌒

Tegen de tijd dat Thatha vermoeid thuiskwam, was het avondeten klaar. We schaarden ons stilletjes rond de tafel. Zelfs Anand en Jayant, die in een heftige discussie over de rellen in Gujarat waren verwikkeld, vielen stil toen ze aan tafel gingen. Het had iets onheilspellends.

Iedereen wachtte erop dat ik zou bevestigen dat ik tegen de wens van de familie inging. Ze wachtten erop dat ik Thatha over mijn ontmoeting met Adarsh zou vertellen, over wat ik Adarsh had onthuld, over mijn aanstaande bruiloft met een man die zij een firangi noemden.

Sowmya diende kliekjes van de lunch op, maar niemand klaagde, ook Anand niet die niet van kliekjes hield.

'Morgen heeft Lata een echoscopie en een vruchtwaterpunctie,' zei Jayant, ik denk om een ander onderwerp dan mijn Amerikaanse verloofde aan te snijden.

Thatha keek op en Lata glimlachte. 'Het is een jongen,' zei ze vol vertrouwen.

Lata was het eerst klaar met eten en waste haar hand met het overgebleven water uit haar glas dat ze in haar bord goot. Daarna stond ze met het bord in de hand op. 'Nee,' zei ze. Ze keek me triomfantelijk aan. 'Geen echo en geen punctie.'

Jayant stond zo plotseling op dat de stoelpoten over de gladde stenen van de vloer schraapten. Hij zag er paniekerig uit. 'Wat bedoel je? Met zestien weken kunnen ze zien of het een jongen of een meisje is.'

Lata bewoog en het water met de rijstkorrels in haar bord gutste bijna over de rand. 'Ik wil het nog niet weten.'

'Maar je zei dat als het een meisje was, je...' Jayant zweeg. Hij had al bijna te veel gezegd, maar het was te laat, iedereen wist welk lot een eventueel meisje te wachten stond.

'Ik krijg dit kind. Ik wil dat het een verrassing is, net als bij Shalini en Apoorva,' zei Lata. Ze liep naar de achtertuin om het bord in de teil te zetten zodat de meid het de volgende dag kon afwassen.

Terwijl ze weg was, vroeg Thatha Jayant wat dat te betekenen had. 'Wat is dit, Jayant? Als het een meisje is... Je weet heel goed dat we een jongen willen.'

Geërgerd hief Jayant zijn handen. 'Ik weet het ook niet. Ik... Ik praat wel met haar.'

'Waarom?' vroeg Sowmya tot ieders verbazing. 'Als ze het niet wil weten, moet je haar niet dwingen. Zo zijn we hier niet.'

Iedereen viel stil. Ammamma had zich met de *Deccan Chronicle* koelte toegewuifd terwijl ze met haar andere hand at, maar nu hield ze op en keek haar man aan, zoekend naar een reactie.

Sowmya had het recht voor zijn raap gezegd. Als Thatha klaagde of vasthield dat hij het geslacht van de baby nu al wilde weten, schaarde hij zich onder die verachtelijke mannen uit de middenklasse die meisjes lieten aborteren. Met een paar woorden had ze de oude man tot zichzelf gebracht.

'Goed,' zei Thatha. Hij keek Sowmya aan alsof hij haar voor het eerst zag. 'Lata moet het maar zeggen.'

Lata stond bij de achterdeur te wachten. Ze lachte. 'We slapen vannacht niet hier,' zei ze toen ze de keuken binnenkwam. 'We gaan naar het huis van mijn ouders zodat we morgenochtend Apoorva en Shalini naar school kunnen brengen.'

Jayant waste zijn handen in zijn bord, maar in tegenstelling tot zijn vrouw bracht hij zijn bord niet weg.

'Thatha,' zei ik, maar ik zweeg meteen omdat hij zijn hand hief.

'Ik accepteer het niet, Priya. Als je met die man trouwt, ben je geen familie meer,' zei Thatha.

Dit had ik wel verwacht, maar ik was niet voorbereid op het verdriet dat me overweldigde. Mijn hart kromp ineen en ik klemde mijn kaken op elkaar om maar niet te gaan huilen. Dat gunde ik de oude man niet. Hij had me net zo diep gekwetst als ik dacht dat ik hem had gekwetst. Stonden we nu quitte?

'Dat is uw keuze. Ik vind dat Priya moet trouwen met wie zij wil,' zei Nanna luid en duidelijk. Met zijn bord in de hand stond hij op. Jayant en Lata, die op het punt stonden te vertrekken, bleven in de deuropening tussen de eetkamer en de gang staan om te kijken hoe zich dit verder ontwikkelde.

Sowmya nam Nanna's bord van hem over. Hij liep naar de gootsteen bij de achterdeur. Niemand zei iets terwijl hij zijn handen onder het spetterende water waste.

'Denk je soms dat ze gelukkig wordt als ze met die Amerikaan trouwt?' vroeg Thatha terwijl Nanna zijn handen droogde aan de handdoek die aan een roestige spijker naast de gootsteen hing. In al die jaren had ik Thatha en Nanna nooit op een confrontatie zien aansturen.

'Ik vind dat ze haar eigen leven moet leiden en ja, ik denk dat ze met die Nicholas gelukkig zal worden en het al is,' zei Nanna. Hij bleef staan en dat gaf hem het voordeel dat hij op Thatha kon neerkijken.

Thatha waste zijn hand in zijn bord en keek Ma aan. 'Radha? Vind jij dat goed?'

Het duurde even voordat Ma reageerde, toen knikte ze.

'Dit loopt niet goed af,' zei Thatha tegen Nanna. 'En dan moet je goed weten dat het jóuw schuld is.' Hij priemde met zijn vinger in Nanna's richting. 'Jij kunt haar een halt toeroepen. Doe dat, nu.'

Nanna schudde zijn hoofd. 'Ze is mijn dochter. Het staat me vrij een keuze te maken, net zoals het u vrij staat uw keuze te maken. Ik weet dat ze een slimme, intelligente vrouw is. Ik denk dat als ze zegt dat ze met Nick gelukkig is, het dan inderdaad zo is. Priya is niet achterlijk.'

'Maar jij wel, dat je haar dit toestaat,' zei Thatha opgewonden. Hij ademde sneller omdat hij zo woedend was. Dit was zijn familie, hij was hier de baas. Hoe durfden ze tegen zijn wensen in te gaan!

'In dat geval gaan mijn familie en ik hier nu weg,' zei Nanna beleefd. Zo beleefd dat het een belediging was.

Ammamma slaakte een kreet. 'Nee! Nee, waarom doen jullie zo?' Ze keek de man met wie ze al eenenvijftig jaar was getrouwd bestraffend aan. 'Hij bedoelt het niet zo, Ashwin.' Ze probeerde mijn vader milder te stemmen.

'Dan had hij het niet moeten zeggen,' zei Ma kwaad. In al de jaren dat ik hen kende, had Thatha nooit een onvertogen woord tegen Nanna gezegd, maar nu had hij hem voor achterlijk uitgemaakt. Het was allemaal mijn schuld, zo voelde ik dat althans. De schuldgevoelens die ik nog maar kort geleden had verdrongen, overspoelden me nu.

'Ik had dat niet moeten zeggen,' zei Thatha zacht. Het was tot hem doorgedrongen dat hij tweespalt in zijn familie veroorzaakte.

'Het deugt niet, maar... ze is een dochter van een dochter,' zei Ammamma terwijl ze over Thatha's schouder wreef. 'Als Radha en Ashwin geen bezwaar hebben, wie zijn wij dan om er iets van te zeggen?'

Thatha knikte onwillig, maar hij keek Nanna, Ma of

mij niet aan. Dit was het einde, wist ik. Geen wandelingetjes onder de granaatappelbomen meer. Geen telefoontjes in het weekend waarin hij klaagde over de Indiase politici en over het bedrijf waaraan hij zijn mangoboomgaard had verhuurd.

'Ik hoop dat u ooit van gedachte verandert,' zei ik tegen Thatha. 'Ik ben gelukkig met deze man. Ik dacht dat u dat wel belangrijk zou vinden.'

Thatha schudde verslagen zijn hoofd. Hij zei niets. Hij moest eraan wennen dat hij geen macht over mijn vader had, en dat wanneer het erop aan kwam, mijn moeder partij voor haar man koos. Ze stonden allebei achter me, wat de gevolgen van mijn beslissing ook zouden zijn.

'In ieder geval,' zei Ammamma schouderophalend, 'is het een blanke, geen *kallu* of zo.'

Ik verstijfde.

Verdomme!

Was ik vergeten te zeggen dat Nick zwart was?

⁓

To: Priya Rao <Priya—Rao@yyyy.com>
From: Nicholas Collins <Nick—Collins@xxxx.com>
Subject: Sorry!

Het spijt me dat ik gisteren de hele dag onbereikbaar was, maar alles ging mis. Ik ben met Steven en Susan in een tent in het centrum gaan lunchen en mijn tas en mijn leren jas zijn gejat. Mijn mobieltje zat in mijn jasje en de Palmtop en de computer zaten in de tas... Ik ben verschrikkelijk onthand!

Ik denk dat er oud spul van mij op je laptop staat, als je terug bent moet je maar even kijken. Ik ben alle nummers en adressen kwijt, maar ik heb wel een paar cd-roms met back-ups van mijn harde schijf. Die heb ik twee maanden geleden gemaakt.

Ik heb Frances gesproken. Ze zei dat je je zorgen maakte. Ik ben er toch? Ik heb geen elektronische speeltjes meer, maar ik ben er wel.

Hoe ging het? Gaat het weer een beetje met je vader en je grootvader?

Ik kan niet wachten tot je terugkomt. Frances zei ook dat je het prima vindt om deze herfst in Memphis te trouwen. Weet je dat wel zeker? Ik dacht dat je liever Monterey of Carmel had, ergens aan zee. Ze zei ook dat je eind van dit jaar al zwanger wilde zijn! Ik neem aan dat dit meer haar wensen zijn dan de jouwe? In ieder geval, we hebben het er nog over wanneer je weer thuis bent.

O, en ik hoop dat je die kerel afschuwelijk vond aan wie ze je wilden koppelen.

Ik hou van je en ik mis je, dus kom gauw terug.
Nick

Epiloog

Hapklaar

De avakai werd gebracht door een Indiër die in de Bay Area moest zijn. Ma en Nanna kenden zijn ouders. Raghunath Reddy scheen het niet erg te vinden de grote glazen pot mee te nemen. 'Een van de vele,' zei hij toen hij de ingemaakte mango op mijn kantoor afgaf. 'Ik heb er nog twee die ik moet afgeven, en ook nog een sari.'

Nick vond de ingemaakte mango te scherp, maar at er toch van, zonder ghee of rijst. Een soort langzame zelfmoord met superscherpe ingemaakte mango.

Mijn ervaringen deze zomer in India hadden me meer inzicht gegeven in Nick en mijn relatie met hem en mijn familie. Nick was blij dat ik niet met een aardige Indiase jongen was getrouwd en stelde me gerust dat het nooit bij hem was opgekomen bij me weg te gaan omdat ik mijn familie niet over hem durfde vertellen.

'We komen uit verschillende culturen, dat begrijp ik best,' zei hij. 'Het stak me soms, maar niet genoeg om niet meer bij je te willen zijn. Dit is wie je bent; je zou jij niet zijn als je niet om je familie gaf.'

Het was een opluchting om weer in Amerika te zijn. Dit

was bekend terrein, ik voelde me niet meer een kruising tussen een jeugdige delinquent en een ongehoorzame dochter. Dat gevoel was verdwenen toen Ma me met tranen in de ogen op Hyderabad International Airport uitzwaaide.

Van Nate kreeg ik een mailtje met de laatste familieroddels. Thatha sprak niet meer met Nanna, want de laatste keer dat ze elkaar hadden gesproken, een week geleden nog maar, ging het over mij. Ze waren bijna op de vuist gegaan. Ma deed weer gewoon, ze zeurde dat ik niet vaak genoeg belde en als ik vaker belde, zeurde ze dat ik te lang met Nanna sprak en mijn geld verkwistte.

'Schrijf lange brieven, vertel ons alles, maar geef geen geld aan ellenlange telefoontjes uit,' zei ze. 'Stuur mailtjes, stuur een foto van Nick. We hebben hem nog nooit gezien.'

Lata werd bolrond naarmate de zwangerschap vorderde, ze kon niet wachten totdat de baby kwam. Ook al drong Jayant nog zo aan, ze weigerde een echo te laten doen. Toen ik haar belde, dacht ze dat het weer een meisje zou worden. Ze vond het prima. Ze had al een naam uitgezocht, Nithila. Dat betekent 'parel' in het Telugu. Als het een jongen was, werd het Abhay, 'de vreesloze'.

Sowmya ging 21 september trouwen. Het speet haar dat Nick en ik niet op de bruiloft konden komen, maar ze begreep dat het onmogelijk was omdat onze bruiloft op 3 oktober stond gepland.

Nanna en Ma zouden komen, en zelfs Nate was van plan erbij te zijn.

Jouw bruiloft! En daar zou ík niet bij zijn? had Nate in zijn mailtje geschreven. Wat denk je wel! Zeg eens, je stelt me toch wel aan een paar leuke meisjes voor, hè?

Kennelijk was Tara, het meisje dat Ma verschrikkelijk zou hebben gevonden, uit de gratie omdat ze op de bruiloft van een nichtje uit Madras een andere jongen had gezoend.

Het was 'gewoon maar' een zoen, zei ze, had Nate in weer een andere e-mail geschreven. Daarin deed hij het hele verhaal uit de doeken en vertelde ook hoe gekwetst hij zich door haar bedrog had gevoeld. Ik ga naar een hoop bruiloften, maar ik zoen niemand, ook niet 'gewoon', schreef hij. Maar op Nates leeftijd worden relaties aan de lopende band verbroken en Tara was alweer vergeten.

Frances vond het heerlijk onze bruiloft te regelen. Nick en ik lieten haar begaan en stemden toe om in Memphis trouwen (een hindoeïstische ceremonie gevolgd door een doopsgezinde) en de receptie zou in San Francisco zijn.

Het zou een eenvoudige bruiloft worden, had Frances gezegd, gewoon driehonderd familieleden en vrienden van haar. En onze vrienden en mijn familie kwamen daar nog bij.

Over een paar dagen gingen de uitnodigingen de deur uit. Ik wilde er voor mijn ouders nog een persoonlijk briefje bij doen.

De envelop met de uitnodiging, de brief en een foto van Nick lag al dagen klaar, maar ik deed die maar niet op de bus. Dat was niet expres. Een maand voor de bruiloft bracht ik de envelop eindelijk naar de postkamer van het bedrijf waar ik werkte. De man van de postkamer verzekerde me ervan dat de brief binnen een week op de bestemming zou zijn...

Een wegwijzer voor de lezer

Een gesprek met Amulya Malladi

Amulya Malladi en Priya Raghupathi, business analyst in New Jersey, kennen elkaar al vele jaren. Ze hebben samen een technische hogeschool in India doorlopen en zijn altijd bevriend gebleven, ook toen ze van baan veranderden, naar andere landen verhuisden, trouwden en kinderen kregen. Amulya gebruikte Priya's naam voor de hoofdpersoon in Het Mangoseizoen, evenals een aantal van haar gevoelens, maar dat is niet helemaal helder.

Amulya Malladi: Nou, dit voelt een beetje ongemakkelijk, praten over iets wat na dit gesprek begrijpelijk moet zijn.

Priya Raghupathi: Och, ik zou het niet weten, hoor. Ik laat jou gewoon aan het woord.

Amulya Malladi: Jawel, maar jíj moet vragen over het boek stellen. Mijn taak zit er al op, ik heb het boek geschreven.

Priya Raghupathi: Goed, laten we beginnen met de namen die je voor *Het Mangoseizoen* hebt gebruikt. Die klinken me bekend in de oren.

Amulya Malladi: De namen van de personages?

Priya Raghupathi: Ja.

Amulya Malladi: Eh, het is me opgevallen dat... Wacht, dat komt later wel. Ik weet dat iedere auteur anders werkt, maar ik moet eerst de titel van een boek weten. Ik kan over het boek nadenken, ik kan zelfs een paar bladzijden schrijven, maar als ik nog geen titel heb, kan ik niet verder. De titel komt gewoon, dat kost me weinig moeite. Dat gaat ook op voor de namen van de personages, ik tik namen in en dat is het dan. Ik stel me niet al te veel vragen.

Priya Raghupathi: We kennen deze namen heel goed.

Amulya Malladi: Ik denk dat ik veel namen van bekenden heb 'geleend'. Ik besefte pas dat ik jouw naam voor Priya had geleend toen ik de achterflap van het boek las en zag dat ze naar de Texas A&M was gegaan, net als jij. Ik merkte het ook toen de naam van Priya's broer de naam van jóuw broer werd, maar dat heb ik veranderd zonder erbij na te denken. En misschien komt het ook omdat we samen in Hyderabad woonden. Neelima, zo heette het meisje met wie je je kamer deelde (dat besef ik nu pas). Ik heb nog een studiegenoot van ons in het boek opgevoerd, Sudhir. De naam van Priya's vader, Ashwin, is de naam van de broer van een ex. En zo gaat het maar door.

Zelfs de naam van Priya's vriend komt ergens vandaan. Een van de vrienden van mijn man werd vader, ze gaven de baby pas een naam toen hij een halfjaar oud was. Ik geloof dat ik al aan dit boek werkte toen mijn man me vertelde dat ze het jongetje Nicholas hadden genoemd. Die naam heb ik toen gebruikt.

Ik 'steel' die namen niet bewust. Later snap ik het verband, maar op het moment zelf... Het gebeurt gewoon.

Priya Raghupathi: Je hebt het ook vaak over de Bay Area en Hyderabad. Zelf ben je daar ook geweest. Schrijf je alleen over plaatsen die je kent? In je eerste boek schreef je over Bhopal, een voor jou vertrouwde plaats.

Amulya Malladi: Ik denk dat het makkelijker is te schrijven over ergens waar je hebt gewoond. Je hoeft minder research te doen en schrijft met meer zelfvertrouwen. Ik voel het ook als een verplichting om te schrijven over een plaats waar ik heb gewoond. Ik ben vaak verhuisd, als kind en als volwassene, en het zou zonde zijn als ik niet schreef over de plaatsen waar ik heb gewoond.

Mijn derde boek, *Serving Crazy with Curry,* speelt helemaal in de Bay Area, en het boek daarna in India, in een plaatsje aan de Baai van Bengalen dat ik als kind goed kende. En nu ik in Denemarken woon, vind ik dat ik een boek moet schrijven dat in Denemarken speelt en waarin Denen voorkomen. Want ik ken het land nu zo goed, niet alleen omdat ik er woon, maar ook omdat ik met een Deen getrouwd ben.

Priya Raghupathi: Ik denk ook dat omdat je in die plaatsen hebt gewoond, je er een band mee hebt. Je hoeft geen dingen te verzinnen.

Amulya Malladi: Ik vind het niet erg om dingen te verzinnen, vooral niet over een plaats. Ik schrijf immers fictie, geen reisverslag. Maar ik verzin liever niet te veel.

Priya Raghupathi: Ik denk dat schrijvers vaak over plaatsen schrijven die ze kennen. Hemingway ging ook vaak naar Spanje toen hij boeken tegen die achtergrond schreef.

Amulya Malladi: Naipaul doet dat ook. Hij schrijft over Afrika en de immigranten uit India die daar wonen. Amy Tan schrijft over Amerikaanse Chinezen die in China wonen of in de Bay Area van San Francisco. Misschien gaan auteurs graag terug naar plaatsen waar ze hebben gewoond, naar de ervaringen die ze daar hebben gehad.
  Voor mij was het schrijven van *Het Mangoseizoen* als een reis naar India. Ik was vergeten hoe lekker chaat is, hoe heerlijk ganna-sap is. Toen ik erover schreef, rook ik het suikerrietsap bijna. O, ik mis suikerrietsap! Ik weet nog dat jij en ik uit de bus stapten bij de hogeschool en dan aan een kraampje chaat aten en een groot glas suikerrietsap dronken. Onze moeders waren er niet blij mee, dat we die rotzooi kochten. Maar dat weerhield ons er niet van, ook niet als we er misselijk van werden.

Priya Raghupathi: Over eten gesproken, ik vond overeenkomsten tussen jouw boek en *Rode rozen en tortilla's*. Daar stonden ook recepten tussen de hoofdstukken, of in ieder geval tussen bijna elk hoofdstuk.

Amulya Malladi: Nou ja, eten is een belangrijk onderdeel van de Indiase cultuur. Wanneer we naar mijn ouders gaan, vraagt mijn moeder ons al te gaan zitten en te eten nog voordat we onze koffers kunnen neerzetten. Als ik bij familie op bezoek ga, ben ik vaak in de keuken met deze of gene. Ik kijk hoe ze koken, of ik help een handje.

Ik ben dol op koken. Dus ook al kan Priya (die uit het boek, niet jij) niet koken, ze waardeert lekker eten omdat ze daarmee is opgegroeid. En ik wilde laten zien wat er in de keuken allemaal plaatsvindt. Met veel vrouwen in de keuken, dan gebeurt er van alles.

Het Mangoseizoen is niet zo geniaal als *Rode rozen en tortilla's,* waar de scheidslijn tussen werkelijkheid en fantasie vervaagt met als resultaat een schitterend geschreven verhaal.

Priya Raghupathi: *Rode rozen en tortilla's* is net een aquarel, zonder echte lijnen. Wanneer je ergens naar kijkt, denk je dat het misschien een boom is, maar het kan ook deel uitmaken van de berg erachter.

Amulya Malladi: Dat is mooi gezegd. Laura Esquivel is echt geweldig. Zo wil ik ook zijn als ik groot ben.

Priya Raghupathi: Toen ik *Het Mangoseizoen* voor het eerst las, dacht ik: waarom zijn ze allemaal zo emotioneel? Praten we in India echt zo? In de VS praten we in ieder geval niet zo. En toen dacht ik erover na. In de VS probeer je politiek correct te zijn, kalm, je weegt alles tegen elkaar af. Ook als je bij je familie of vrienden bent. Maar als je teruggaat naar India dringt het tot je door dat ze daar precies zeggen wat ze denken. Je ziet aan hen wanneer ze van slag zijn. Het erge is dat als je er wat langer blijft, je het gaat overnemen.

Amulya Malladi: Waren ze in het boek zo emotioneel? Waarschijnlijk wel, ja.

Nou ja, het heeft met tijd en plaats te maken. Priya komt na zeven jaar thuis en moet iets zeggen wat niemand wil horen. Haar ouders willen dat ze trouwt, of ze dat nu zelf wil of niet. In het huis van Priya's grootouders hangt een gespannen sfeer omdat ze niet weten of Lata's baby een jongetje of een meisje zal zijn, en ze proberen ook nog hun jongste dochter Sowmya uit te huwelijken. Na jaren zonder succes is dat iets wat zorgen baart. En dan is er nog de voortdurende strijd met Anand die met een vrouw van een andere kaste is getrouwd. Iedereen is emotioneel omdat er zo veel conflicten zijn.

Het is niet zozeer een geval van politieke correctheid, het is meer de situatie als zodanig. Met hun familie gaan mensen niet extra beleefd om omdat je bij je familie niet politiek correct hoeft te zijn. Een familie is gewoon een familie, elke familie is weer anders. Ik ken genoeg Amerikaanse en Deense families waar het er verhit aan toe gaat; er wordt gekwetst en het wordt weer goed gemaakt. Dat gebeurt overal.

Maar je hebt wel gelijk dat Indiërs nogal recht voor zijn raap zijn, en emotioneel. Ik denk dat Indiërs geen filter gebruiken. Ze zeggen wat ze bedoelen, wat ze voelen, en denken er niet te veel bij na of dat kwetsend kan overkomen. En ja, Indiërs zijn emotioneel, dat zie ik heel duidelijk wanneer ik met Amerikanen of Denen omga. We zijn erg gevoelig en handelen dienovereenkomstig. Mijn Deense familie vindt me waarschijnlijk een beetje getikt omdat ik vaak emotionele uitbarstingen heb.

Priya Raghupathi: Ik vond ook dat tegen het einde alles zo keurig op zijn plaats valt. Vind je dat boeken geen open einde mogen hebben? Zou je ooit een boek kunnen schrijven, zo van: goed, zo staat het ervoor. Het werd er niet beter op, ze veranderden niet en modderden verder maar een beetje aan.

Niet per se een slecht einde, eerder geen einde.

Amulya Malladi: Ik weet niet of alles wel zo keurig op zijn plaats valt. Priya's grootouders en ouders hebben nog onenigheid over haar keus om te trouwen met wie zij wil. Ze heeft haar familie nog steeds niet verteld dat Nick zwart is. Wanneer ze daarachter komen, zullen ze dat weer als beschaamd vertrouwen opvatten. Eigenlijk wilde ik duidelijk maken dat het zo doorgaat. Ze zal nooit volledige steun van haar ouders hebben, die zullen altijd wel ergens bezwaar tegen hebben. Waarschijnlijk geeft ze hun ook reden genoeg om te klagen.

Persoonlijk heb ik ervaren dat toen ik met een Deen trouwde, mijn ouders daar niet blij mee waren. Uiteindelijk zeiden ze: 'Je moet maar doen wat je doen moet, en trouwens, je slaat toch geen acht op wat wij zeggen.' Het zit ze nog steeds niet helemaal lekker. Er zijn natuurlijk nog meer redenen waarom het stroef gaat tussen mijn ouders en mij, maar het ligt voornamelijk aan het feit dat ik ben getrouwd met een man die hun goedkeuring niet kan wegdragen. Priya zal dezelfde ervaring opdoen.

Of boeken een mooi afgesloten einde moeten hebben, ik vind dat dat van het boek afhangt. Soms lees ik een boek met een open einde en dan denk ik weleens dat het effectbejag is, dat het niet noodzakelijk was. Soms is het prettig als de auteur je laat raden. Maar dat is heel persoonlijk, het hangt af van de reactie van de lezer op het verhaal.

Neem *Gejaagd door de wind*. Er zijn vast lezers die liever zien dat Rhett en Scarlett hand in hand richting zonsondergang lopen, terwijl ik het einde juist goed vind. Ik kan me geen ander einde voorstellen.

Priya Raghupathi: Vreemd hè? Na al die jaren, er is zo veel veranderd... We hebben carrière gemaakt, en toch...

Amulya Malladi: We kennen elkaar al... Eh... al toen we nog in de luiers waren. Ik vind het fijn dat ik hier met jou over kan praten. Ik ben veel vrienden uit onze studietijd uit het oog verloren, maar jij en ik hebben altijd contact gehouden, we zijn vriendinnen gebleven. Dank je dat je dit met me wilde doen. Toen de redactie zei dat ik een gesprek met jou mocht opnemen, vond ik het een fijn idee dat we samen aan iets konden werken, en het was bijzonder prettig om te doen!

Priya Raghupathi: Dat ben ik helemaal met je eens, het was echt leuk. Ik ben blij voor je, en ik wens je het allerbeste.

Amulya Malladi: Dat is nog eens een goed einde!